O BOTSIAR I GIPAR

O Botsiar i Gipar

Edgar Owen
(Gol: Arthur Thomas)

GWASG Carreg Gwalch

Argraffiad cyntaf: Mawrth 1997

ⓗ *Edgar Owen*

*Rhif Llyfr Safonol Rhyngwladol:
0-86381-422-0*

Clawr: Smala, Caernarfon

*Argraffwyd a chyhoeddwyd gan Wasg Carreg Gwalch,
12 Iard yr Orsaf, Llanrwst, Dyffryn Conwy LL26 0EH.
☎ (01492) 642031*

Cynnwys

Rhagair

Ar ôl imi ysgrifennu erthygl yn *Y Ffynnon*, papur bro Eifionydd, cefais lythyr gan Wil Sam (W.S.Jones y dramodydd) yn gofyn imi ysgrifennu mwy. Dyna pa bryd y cefais y syniad o ysgrifennu atgofion am fy ngwaith fel cipar afon. Bûm wrthi am fisoedd lawer, a phan fyddwn yn cael llond bol, byddai Wil Sam yn rhoi hwb arall ymlaen er mwyn imi ddal ati.

Felly, dyma sut y daeth y llyfr i olau dydd ac mae fy nyled yn fawr i Wil Sam am fy annog i'w ysgrifennu, i Myrddin ap Dafydd am gymryd diddordeb ynddo, ac i Arthur Thomas am roi trefn arno.

Hoffwn ddiolch i bob un a fu mor barod i roi benthyg lluniau i mi. Ni ddefnyddiais rai o'r lluniau ond diolch i chwi oll er hynny.

Edgar Owen

Chwefror 1997.

Dechrau'r Daith

Cefais fy ngeni ar Fawrth 20fed, 1936 sef diwrnod olaf y gaeaf, ac mae'n bur debyg mai rhywbeth a adawyd ar ôl gan y gaeaf oeddwn i! Deuthum i olau dydd yn Ysbyty Madog, Porthmadog, ysbyty sydd bellach wedi cau. Ar ôl cyflawni'r gamp honno, aeth fy mam â mi yn ôl i York House, Cricieth, ond bu'n rhaid iddi ddychwelyd nifer o weithiau wedyn, gan fy mod yr hynaf o bump o blant.

Symudodd y teulu i stad Ty'n Rhos, Cricieth yn 1947 ac yno y bûm yn byw am flynyddoedd lawer.

Dechreuais gymryd diddordeb yn yr afon yn 1945 pan ddaeth fy nhad adref o'r fyddin a dechrau mynd â mi gydag o i sgota. Os cofiaf yn iawn, pum swllt (neu 25c ym mhres heddiw) oedd pris y drwydded sgota a swllt (neu 5c) am fod yn aelod o glwb sgota *Cricieth, Llanystumdwy and District*. Mi dalodd William Williams, 6 Arvonia Terrace, Cricieth, neu 'Wil Six' fel yr oedd pawb yn ei adnabod, am y drwydded a'r tâl aelodaeth imi yn siop Jim Parry. Siop ffrwythau a llysiau oedd hon yn bennaf, ond bod yna le bach yn y cefn yn llawn o daclau sgota.

Ddaliais i ddim un sgodyn y flwyddyn honno, ond fe gofiaf y sgodyn cyntaf imi ei ddal fel petai'n ddoe. Ar Fai 23ain, 1946, diwrnod ffair ha' gyntaf Cricieth, yr oeddwn yn sgota ar fy mhen fy hun yng Nghefn Isaf, wrth glawdd isaf cae o'r enw Tyddyn Felin Isaf. Taflais y pry genwair i'r dŵr ac fe gymerodd sgodyn y pry. Taflais y sgodyn i'r lan. Brithyll oedd o, un bach iawn, dim ond rhyw bum neu chwe modfedd. Er hynny, cofiaf ei roi'n ofalus yn fy hances boced ac am adref â mi. Euthum i gadw'r enwair ac wedyn am y ffair, gan fynd â'r sgodyn gyda mi. Roeddwn mor falch ohono fel y bûm yn ei ddangos i bawb yn y ffair, bron.

Ni chofiaf ddal fy ngwyniedyn (sewin neu *sea trout*) cyntaf, ond mi gofiaf y cyntaf imi fynd ag o adref. Diwrnod ar ôl lli mawr oedd hi ac roedd y dŵr wedi bod ymhell dros y glannau. Roeddwn yn sgota yng ngweirglodd Tyddyn Cethin pan welais wyniedyn tua hanner pwys wedi marw mewn pwll bach heb fod ymhell o'r afon. Roedd yn amlwg fod y sgodyn wedi cael ei adael ar ôl gan li y diwrnod blaenorol ac wedi marw yn y pwll. Mae gennyf gywilydd dweud hyn, ond mi es â fo adref a dweud wrth bawb mai fi oedd wedi ei ddal. Ew, roeddwn i'n foi, ac yn meddwl bod pawb yn fy ngweld yn sgotwr da.

Yn 1946 hefyd, rwy'n cofio sgota o Bont Rhydybenllig i Lanystumdwy, a phan oeddwn rhwng Llyn Penmaenmawr a llyn a elwir heddiw yn Llyn Deio, mi gwrddais â dau ddyn dieithr. Saeson oedden nhw ac fe ofynnodd y ddau imi a fuaswn yn mynd i sefyll ar garreg o dan goeden ywen — mae'r goeden yno hyd heddiw — ac mi wnes fel yr oeddynt yn gofyn, a bu un ohonynt yn tynnu lluniau ohonof gyda chamera. Gofynnodd y ddau imi wedyn beth oedd fy enw ac ym mhle yr oeddwn yn byw. Mae'n siŵr nad oeddwn i'n fawr o Sais yr adeg honno, ond fe atebais yn gywir oherwydd cefais lun ohonof fy hun yn sgota ganddynt. Cofiwch, deg oed oeddwn i ar y pryd a'r peth cyntaf y sylwa rhywun arno yn y llun yw'r 'welingtons' sydd am fy nhraed. Yn ôl eu maint, rhai fy nhad oeddynt, neu rai rhywun arall mewn oed.

Rhyw ddydd Sul, rai wythnosau ar ôl imi gyfarfod â'r ddau Sais, roedd fy nhad yn edrych trwy bapur Sul o'r enw'r *Sunday Graphic* ac fe'i cofiaf yn chwerthin ac yn dweud wrth Mam, 'Yli Edgar yn fa'ma.'

A dyna ble'r oedd fy llun i yn sgota, mewn darn o'r papur a oedd yn hysbysebu Butlins. Clywais wedyn fod yna gopi mawr iawn o'r llun ar wal yn Butlins Pwllheli ac mi fûm yn flêr iawn nad euthum ar ei ôl — mae'n siŵr mai i'r domen yr aeth wedi iddo orffen ei bwrpas.

Cymeriadau

Pan ddechreuais i sgota, roedd yna lu o gymeriadau'n sgota afon Dwyfor. Pobl fel Jim Parry y Siop; Owen Evans garddwr; Ifor Williams (Ifor Post); William Evans (Wil Evans, Brynawelon); Aneurin Lloyd Jones y deintydd; Owen Jones, Gwalia; D.J. Rees y trydanwr; John Henry Hughes, Stanley Rd; Howard Thomas, Queens Rd; Deio Price, perchennog gwesty'r *Pines* a Jack Moss Roberts a fu'n ysgrifennydd y clwb sgota ac a wnaeth y bluen *Dwyfor Fairy* a gyflwynir hyd heddiw i'r sgotwr sydd wedi rhoi'r cymorth mwyaf i'r clwb dros y flwyddyn.

Roedd pob un o'r dynion hyn yn sgotwyr mawr iawn yn llygaid plentyn fel fi a byddwn yn gwneud fy ngorau i fod yr un fath â nhw er mwyn i minnau gael bod yn 'sgotwr mawr'. Ond cystal sgotwyr ag yr oeddynt, roedd yna ŵn a ystyriwn yn well sgotwr na hwy, sef Jack Owen, Hen Siop, Garndolbenmaen. Jack fyddai'n ennill y Gwpan Sialens bron bob blwyddyn, efo pysgod mawr deg pwys a mwy.

Os mai Jack Owen oedd y sgotwr mwyaf yn fy ngolwg i, Edward Llewelyn Osmond neu Llew Osmond, Pensarn oedd brenin afon Dwyfor, nid i mi yn unig, ond i lu o bobl yr ardal, a doedd llawer o'r rheiny ddim hyd yn oed yn sgota. Byddai llawer iawn yn hel i lan Llyn y Felin ar dir Pensarn, ble'r oedd Llew wedi gwneud mainc ar lan yr afon. Mae'r fainc hon yno hyd heddiw ac yn dal i gael ei galw'n *Angler's Rest.*

Rhyw bedwar canllath o afon oedd gan Llew a byddai'n gwrthwynebu gosod y lle i'r clwb sgota. Gwell oedd ganddo adael i bawb fynd yno i sgota ac ni chodai yr un ddima goch ar neb. Paentiwyd arwydd ar gilbost y giât:

'*All anglers' welcome*' — ac fe synnech faint oedd yn mynd yno. Byddwn wrth fy modd yn gwrando ar Llew yn dweud straeon wrth y Saeson, ac mi wyddwn yn aml mai straeon go goch fyddai rhai ohonynt, ond fe lyncai'r 'fusutors' y cwbl a byddai Llew yn chwerthin o waelod ei fol wedi iddynt ymadael.

Un gyda'r nos, pan oeddwn tua phedair ar ddeg oed, roedd rhyw wyth neu naw ohonom yn siarad wrth yr *Angler's Rest.* Ar lan yr afon, tua phum neu chwe llath o'r fainc, roedd coeden heb fawr ddim brigau arni a hynny o frigau oedd arni i fyny ar ei phen uchaf. Tua ugain troedfedd i fyny'r goeden yr oedd twll a'r flwyddyn cynt yr oeddwn wedi dringo ato i nôl cyw jac-do i Jack Owen, fy ewyrth. Magodd Yncl Jack y jac-do yn ei gartref yng Nghricieth ond yr oedd yn rhy ddof, ac fe âi at unrhyw un i gael sylw. Gwnaeth yr hen jac-do gamgymeriad mawr un noson: glaniodd ar ben Griffith Roberts, Cae Canol. Meddyliodd yntau fod y deryn yn ymosod arno ac mi roddodd dro yn ei gorn gwddf yn y fan a'r lle.

P'run bynnag, y noson honno wrth yr *Angler's Rest* doedd Ellis Edwin, mab Cefn Isaf, ddim yn coelio fy mod wedi llwyddo i ddringo at y twll a gofynnodd imi ddangos iddo sut yr es i i fyny. Gwrthodais innau, ond gofynnodd Edwin a fyddwn yn mynd i fyny petai o yn mynd gyntaf. Cytunais, a dyma Edwin at y goeden,

gafael amdani efo'i freichiau a'i goesau a gweithio ei
hun i fyny at y twll. Wedi iddo gyrraedd gwthiodd ei
law i mewn er mwyn codi ei hun yn uwch. Gwaetha'r
modd, nid nyth jac-do oedd yno ond nyth gwenyn
meirch, a dyma'r haid allan i wyneb Edwin. Neidiodd
yntau i lawr i'r cae a'r gwenyn ar ei ôl. Dyna banig
mawr, pawb yn chwalu i bob man a Llew yn brasgamu
ar hyd y cae gan chwifio ei gap o gwmpas ei ben a
gweiddi ar Edwin, 'Dos o 'ma'r diawl, ar dy ôl *di* ma'
nhw.'

Digwyddais weld Edwin yn eistedd yng nghar ei dad
yng Nghricieth y bore wedyn. Cofiaf fod ei wyneb wedi
chwyddo fel pêl fawr nes bod ei ddau lygad bron â chau.
Newydd ymweld â'r meddyg oedd o a'r 'Doctor Bach',
y diweddar O. Lewis Jones, wedi paentio ei wyneb gyda
hufen lliw glas. Roedd golwg ofnadwy ar Edwin ac
rwy'n siŵr y byddai'r loes wedi ei ladd oni bai ei fod yn
fab fferm ac yn hogyn cryf ac iach.

Pyllau afon Dwyfor

Bu Llew Osmond yn gyfrifol am roi enwau ar rai o'r pyllau, neu'r llynnoedd, o gwmpas Pensarn. I lawr yng nghoed Trefan (neu'r Bregill fel y byddem yn galw'r lle) mae yna garreg fawr a thwll mawr oddi tani. *Mushroom Rock* y galwai Llew hi. Ychydig yn nes i fyny mae Llyn Dyfrgi. Mae carreg go fawr yma eto, ac yn aml iawn byddai dyfrgi i'w weld arni. Mi welais bedwar ohonynt yno gyda'i gilydd un bore.

Wedyn, mae Pwll Rees, a gafodd yr enw am fod D.J.Rees y trydanwr wedi bachu sgodyn go fawr ynddo un prynhawn. Wrth geisio ei lanio mi bwdodd y sgodyn ac aeth i orwedd ar wely'r afon. Gwelais rai eraill yn gwneud felly sawl tro. Os yw sgodyn yn gwneud hyn, mae'n anodd eithriadol ei symud ac fe fu'r hen Rees yno am tua dwyawr neu ragor yn disgwyl i rywun ddod heibio. Nid wyf yn siŵr p'run ai 'nhad ynteu Emrys fy mrawd a ddaeth gan lwyddo i roi pwniad i'r sgodyn. Yna, ar ôl ychydig, llwyddodd Rees i'w gael i'r lan. Felly, bedyddiodd Llew y pwll yn Bwll Rees. Mae yna hefyd lyn o'r enw Llyn Dan Bont Llew. Un tro, adeiladodd Llew bont dros yr afon o Bensarn i Dynannau yn y fan yma; dwy 'weiar rôp' rhyw lathen oddi wrth ei gilydd ar draws yr afon ac yna gosod polion oddi tanynt gyda weiren lefn. Bu'r bont yno am tua thair blynedd cyn i li mawr ei sgubo i ffwrdd oddi yno.

Lawer gwaith y bu imi groesi'r bont â'm traed yn y dŵr pan oedd lli uchel yn yr afon. Wrth edrych 'nôl, yr oedd yn beth ffôl i'w wneud, ond roeddwn yn ifanc ac yn meddwl dim am y perygl ar y pryd.

Yr ochr uchaf o dipyn i bont y ffordd fawr, Pont Rhydybenllig, roedd yna lyn nad oedd neb wedi llwyddo i'w sgota ers blynyddoedd. Gan fod tair coeden go fawr wedi disgyn i'r dŵr yr oedd yn anodd ei sgota, a'r unig obaith o fedru gwneud hynny oedd ar li gyda phry genwair, reit wrth y lan ger y Felin. Aeth fy nhad yno un diwrnod efo llif draws ac ar ôl treulio oriau lawer yn llifio a chlirio roedd y llyn yn glir am y tro cyntaf ers blynyddoedd, ac fe fedyddiodd Llew y llyn yn Llyn Guto Dafis. Rhyw flwyddyn yn ddiweddarach, daliodd y diweddar Ifor Williams (Ifor Post) sgodyn deg pwys yn y llyn, a hwnnw, medda fo, oedd y sgodyn mwyaf iddo ei ddal erioed.

Bydd enwau'r llynnoedd yn parhau o genhedlaeth i genhedlaeth, neu tra bydd sgota ar afon Dwyfor a thra bydd y sgotwyr hynny'n dal i siarad Cymraeg. Ond pwy, tybed, fydd yn gwybod am y gŵr a roddodd enwau i'r llynnoedd a pham y rhoddwyd yr enwau hynny arnynt. Gallaf weld, yn llygad fy meddwl, ddau sgotwr ar lan Pwll Rees, un yn dweud wrth y llall,

'Pwll Rees ydi hwn.'

A'r llall yn gofyn,

'Pam Pwll Rees?'

A'r cyntaf yn ateb,

'Wn i ddim. Mae'n siŵr mai fan yma yr oedd rhywun o'r enw Rees yn sgota ers talwm.' Ac mae'n siŵr mai rhywbeth tebyg a ddywedant am Guto Dafis. Ond beth fydd yr eglurhad am Lyn Dan Bont Llew tybed? Efallai y gwnânt rhyw stori am lew yn croesi'r afon ac y daw stori'r llew yn gymaint rhan o afon Dwyfor ag y mae stori Gelert ar lan y Glaslyn ym Meddgelert. Efallai fy mod yn siarad drwy fy het, ond sawl tro fydd ar stori mewn can mlynedd?

Wedi dweud hyn, yr wyf innau, i raddau, yn yr un twll â'r ddau sgotwr dychmygol ar lan Pwll Rees. Gofynnaf i mi fy hun, pam Henbont, Noddlyn ac Allt Dyfan? Pam Cae Criw a Llyn Glas ac amryw o enwau eraill?

Potsio

Deuthum i ddeall yn fuan iawn nad yr enwair oedd unig erfyn dal pysgod Llew. Roedd y 'bach mawr' (gaff) a'r 'groglath' (magal) hefyd yn rhannau pwysig o'r gêr. Peidied neb â bod yn rhy llawdrwm ar Llew — yr oedd llawer iawn o bobl yn dal pysgod yn y modd yma yr adeg honno. Gan fod cyflogau'n isel iawn ar ddechrau'r pumdegau, byddai puntan neu ddwy o bres pysgod yn fendithiol iawn. Yn wir, gallaf feddwl am ambell i ŵr sydd ymhlith hoelion wyth y gymdeithas heddiw fu'n mynd ag amryw o bysgod yn y dull yma, nid am ei fod yn botsiar go iawn ond oherwydd bod pres yn brin. Os nad oedd yn gwerthu'r sgodyn, byddai'n gwneud pryd o fwyd i'r teulu ac yn arbed ceiniog neu ddwy. Clywais y diweddar Robin Morgan, Tŷ Capel Rhoslan a chyn hynny o Garndolbenmaen, yn dweud unwaith mai Glangaeaf, pan oedd yr eogiaid yn claddu ac yn hawdd i'w dal, y byddai plant y Garn yn cael sgidiau newydd. Wedi dal y pysgod, byddai'r potsiars yn eu cochi mewn simdde cegin foch. Gwneud tân ac yna cario dail derw arno i gael tipyn o fwg. Ar ôl iddynt gochi yn iawn, byddent yn eu gwerthu am swllt y pwys i feddyg o Ben-y-groes. Fel yna y byddai teuluoedd y Garn yn cael pres i brynu sgidiau newydd i'r plant.

Pan oeddwn tua phedair ar ddeg oed, cefais ddechrau mynd allan ar yr afon yng nghwmni Llew. Fy ngwaith i oedd cadw'r ochr isaf i Llew a chadw llygad barcud rhag ofn i'r cipar ddod heibio. Y diweddar John Hugh Williams o Borthmadog oedd y cipar yr adeg honno, a chan nad oedd gennyf ddiddordeb mewn dim byd ond sgota neu ffidlan ar yr afon byddwn yn ei weld yn bur aml. Dyn go fychan oedd John Hugh a byddai'n teithio o gwmpas ar foto-beic mawr coch. Efallai nad oedd yn feic mor fawr â hynny, ond roedd i'w weld yn fawr am fod John Hugh mor fychan.

Roeddwn wrth fy modd pan fyddai'n dod ataf a minnau'n sgota ar li. Dangosai imi sut i daflu a 'sut i glymu'r bach wrth y *gut*, sut i roi pry genwair ar y bach a pha le i roi'r abwyd yn y dŵr. Unwaith neu ddwy, daliais sgodyn wedi iddo fo ddangos imi sut i wneud, ac er bod y pysgod yn rhy fach i'w cadw yn gyfreithlon, byddai'n dweud,

'Well iti gadw fo wrth nad wyt ti wedi dal dim.'

Yn aml iawn byddwn yn meddwl pa mor braf oedd ei waith ac mae'n siŵr gen i, rywle yng nghefn fy meddwl, fy mod wedi penderfynu bryd hynny mai cipar afon oeddwn innau am fod. Mi gawn fod ar yr afon bob dydd a chael sgota bob lli. Gwaith gwerth ei gael, treulio fy amser yn hamddenol braf.

Ond, O! y fath newid byd. Edrych ymlaen at weld y cipar pan oeddwn yn dysgu sgota a'i ofni am fy mywyd pan oeddwn yn dysgu potsio.

Fel y dywedais, y *lookout* oeddwn i ar y dechrau, ond erbyn imi ddod yn bymtheg oed a dod i ddeall pethau'n well, roeddwn yn dyheu am gael bach mawr i mi fy hun, a dyna ddechrau swnian ar Llew i wneud un imi.

O'r diwedd, rhyw noson pan oedd y ddau ohonom yn eistedd yn ei weithdy, a minnau, mae'n siŵr, wedi bod yn swnian am fach mawr, dyma Llew yn estyn hoelen chwe modfedd a'i phlygu yn y feis nes bod siâp bachyn arni. Yna, mi waldiodd hi efo morthwyl, nes bod ei darn isaf yn fflat. Wedyn, cymerodd ffeil i wneud tagell arni.

'Dyma fo iti,' meddai Llew, 'mi wneith hwnna'n iawn iti am rŵan.'

Roeddwn i, wrth gwrs, yn wên i gyd am fy mod o'r diwedd wedi cael bach mawr i mi fy hun. Flynyddoedd yn ddiweddarach clywais Llew yn dweud wrth ryw sgotwr,

'Fi wnaeth y bach mawr cyntaf i hwn, allan o hoelen chwech. Yr hoelen chwech fwyaf gwerthfawr a fu yn y byd.'

Mae'n rhaid i minnau gyfaddef bod yr hoelen chwech wedi bod yn werthfawr, ond go brin yr un fwyaf gwerthfawr yn y byd!

Un noson yn yr haf, euthum i lawr yr afon gyda'r hoelen chwech ac fe ddaliais sgodyn chwe phwys. Wrth ddod yn ôl, trawais ar Llew a'i holi a oedd ganddo gwsmer i'r sgodyn. Meddyliodd am sbel, ac yna dywedodd,

'Oes, dwi'n meddwl, ond rhaid i mi gael siâr.'

'Iawn,' atebais innau.

Aeth Llew i nôl yr Austin Pickup ac i ffwrdd â ni am y *Marine* yng Nghricieth. Diflannodd Llew i'r bar a dod allan yr un funud efo ffermwr o'r enw Wil Pencarth. Roedd hwn yn dipyn o bero, ac roedd ganddo gwsmer i bopeth.

'Faint wyt ti isio amdano fo?' holodd.

'Saith swllt y pwys,' atebais.

'Ew, ti'n ddrud,' meddai Wil. 'Mi ro' i chwe swllt iti.'

'Ocê,' atebais innau, cyn i Llew gael dechrau bargeinio.

'Faint ydi'i bwysa fo?' holodd.

'Saith pwys,' atebais innau. Mae sgodyn saith pwys am chwe swllt y pwys yr un faint â sgodyn chwe phwys am saith swllt! Cefais ddwy gini (tua £2.10 ym mhres heddiw) ac i ffwrdd â Wil efo'r sgodyn. Aeth Llew a minnau i'r pickup, ac am adref. Ar y ffordd, rhoddais bunt i Llew.

'Diolch,' meddai â gwên fawr ar ei wyneb. 'Diawl o foi wyt ti, yntê!'

Flynyddoedd yn ddiweddarach, pan oeddwn yn gipar ac yn cael peintyn efo Wil Pencarth yn y *Lion*, dywedais wrtho,

'Dwi'n siŵr, Wil, mai fi ydi'r unig un sydd wedi'ch gneud chi.'

'Tybed?' meddai Wil. Gofynnais iddo a oedd yn cofio prynu sgodyn gan Llew a minnau yn y *Marine*. Oedd, roedd o'n cofio'n iawn ac yn cofio pwy gafodd o. Eglurais beth yr oeddwn wedi ei wneud efo'r pwysau, ac atebodd fel hyn,

'Chefais i mo fy ngneud. Mi gwerthis i o am yr un pwysau ag y prynis i o.'

Oedd, roedd yr hen Wil yn dipyn o bero ac yn ormod o sgolar i gael ei dwyllo gan hogyn efo bachyn hoelen chwech!

Cofiaf 1955 yn iawn, tymor sych a dim lli yn yr afon ers wythnosau, a chan fod y dŵr yn isel roeddem ninnau allan yn potsio ar nos Sul. Byddai Llew a minnau, gyda f'ewyrth Dafydd, yn mynd i lawr yr afon. Wrth feddwl yn ôl, wn i ddim sut na chawsom ein dal. Roedd John Hugh wedi ymddeol erbyn hyn a chipar newydd o'r enw Ellis Jones ar yr afon yn ei le. Bachgen ifanc, handi oedd Ellis, a byddai'n aml yn dal rhai yn potsio, ond rhywsut neu'i gilydd fe fuom ni yn lwcus. Fe'i gwelsom unwaith neu ddwy cyn iddo fo ein gweld ni, a bu inni allu mynd nerth ein traed o'r golwg. Beth bynnag, un nos Sul ym mis Awst, aeth f'ewyrth a minnau i lawr yr afon fel arfer (ni ddaeth Llew gyda ni y noson honno). F'ewyrth oedd y *lookout* a minnau ar yr afon. Wedi chwilota yn y lleoedd arferol a chael dim, aethom i lawr o dan dŷ Trefan ac mi ddaliais — yn anghyfreithlon wrth gwrs — y sgodyn mwyaf i mi ei weld erioed ar yr afon. Eog yn pwyso ugain pwys yn union, ac mor fawr fel na wyddem yn iawn beth i'w wneud ag o. Roedd yn rhy fawr i'w gynnig i'r cwsmeriad arferol. Aeth f'ewyrth â fo a llwyddo i'w werthu yng ngwesty'r *Pines* yng Nghricieth. Y prynwr oedd Deio Price, dyn pwysig iawn yr adeg honno ar bwyllgor y clwb sgota, dyn uchel ei barch gan bawb. Yr oedd mor uchel ei barch fel y bu i'r clwb, pan fu Deio farw ymhen rhai blynyddoedd wedyn, wneud llyn newydd ar yr afon a'i alw yn Llyn Deio. Cyflwynir cwpan bob tymor i'r sgotwr sy'n dal y sgodyn mwyaf o'r llyn hwnnw.

Pumpunt dalodd Deio am y sgodyn — dwy a chweugain yr un i f'ewyrth a minnau (£2.50 ym mhres heddiw). Roedd pumpunt yn bres mawr yr adeg honno. Gweithiwn ar fferm bryd hynny, chwech tan chwech bob dydd, o chwech tan bedwar ar ddydd Sadwrn ac o chwech tan hanner awr wedi naw y bore a hanner awr wedi tri tan chwech y prynhawn ar ddydd Sul. Fy nghyflog am yr holl waith oedd pedair punt yr wythnos a'm lle, ac i feddwl ein bod wedi cael pum punt am un sgodyn! Wrth gwrs, 'bargen paid â deud' oedd gwerthu'r sgodyn i fod, ond bu'n rhaid i Mrs Williams y gogyddes gael agor ei cheg, a dyna fu'r testun am wythnosau.

'Dafydd Winston wedi gwerthu sgodyn ugain pwys yn y *Pines*. Mae'n rhaid mai sgodyn wedi ei botsio oedd o am nad oedd yna ddŵr yn yr afon iddo fo sgota.'

Dafydd gafodd y bai, fu dim sôn am f'enw i. Byddwn yn teimlo'n reit euog bob tro y byddai rhywun yn sôn am y peth, ac yn enwedig pan ddaeth Daniel Pritchard, cipar y clwb ataf a gofyn imi o ble'r oedd y sgodyn wedi dod, a minnau'n dweud nad oeddwn yn gwybod ei hanes, dim ond beth yr oedd pobl yn ei ddweud.

Gwas Fferm

Dechreuais weithio ar fferm yn 1951, i Thomas Eifion Jones, Caerdyni, Cricieth, gan weithio hanner yr amser ar y fferm a'r hanner arall yn ei siop gig yng Nghricieth. Bûm gydag ef am ryw flwyddyn a hanner cyn symud oddi yno, a bûm yn gweithio ar nifer o ffermydd eraill yn Eifionydd gan weithio oriau hirion, ac er mai fi sy'n dweud, gweithio'n galed iawn hefyd.

Ar nos Sadwrn, byddwn yn yfed gormod o gwrw o lawer er fy lles, ac yna byddwn yn mynd yn rhy gegog a mynd i drwbwl. Cefais ddirwy yn llys Pwllheli un tro am fod yn feddw, a chan gofio geiriau fy nhad,

'Os na wrandi di arna' i, mi ddysgith yr hen fyd 'ma di.' Fe roddais y gorau i fynychu tai tafarnau am flynyddoedd.

Yn 1958 gadawais y llofft stabal am y tro cyntaf ac fe euthum i weini ar fy mwyd fy hun i Blas Hendre, Cwm Pennant. Wythnos bentymor oedd hi, a minnau'n mynd i sgota. Pwy oedd yn cael sgwrs ar Bont Rhydybenllig ond Mr Evans yr Hendre a'r diweddar Alun Jones, Ty'n Lôn, Rhydybenllig. Safais am sgwrs, a dyma Alun yn gofyn a oeddwn am aros yn fy lle.

'Nac ydw,' atebais innau, a dyma Mr Evans yn gofyn a hoffwn i ei chynnig hi efo fo, a dyna fy nghyflogi ar y bont!

Mae'n siŵr eu bod yn gwybod ym Mhlas Hendre fy

mod yn dipyn o 'ryffian' a dwi'n berffaith siŵr eu bod wedi crafu eu pennau y diwrnod cyntaf y bûm yno, gan feddwl beth oedd o'u blaenau yr haf hwnnw efo creadur fel fi.

Y prynhawn cyntaf un, yr oeddwn yn mynd yng nghwmni Michael, y mab, o un fferm i'r llall (roedd Llan, Plas Hendre, Dolwgan Isaf a Dolwgan Uchaf yn cael eu ffermio gan Mr Evans) pan stopiodd Michael y tractor ar y ffordd. Gwelodd fod defaid yn dianc o dan weiren i'r ffordd, gan fod swp o wlân ar y weiren bigog isaf. Dechreuodd Michael dynnu'r gwlân a dywedodd wrthyf am guro'r stanc yn is. Gan nad oedd gennyf ordd, rhaid oedd defnyddio carreg go lew. Michael yn tynnu'r gwlân a minnau'n colbio'r stanc yn is gyda'r garreg. Gallwch ddychmygu beth ddigwyddodd. Disgynnodd y garreg o'm gafael â tharo Michael druan ar dop ei ben nes ei fod yn lledan ar y ffordd. Bu'n rhaid mynd â fo at y doctor i bwytho ei ben ar ôl iddo ddod ato'i hun. Dyna ichi ddechrau da i dipyn o 'ryffian' mewn lle newydd!

Chwe mis fûm i yn yr Hendre, a dyna'r unig lanast a wnes i yno, i mi fod yn cofio. Euthum oddi yno heb air croes efo neb. Yr unig reswm dros adael oedd ei bod yn rhy bell gennyf i deithio nos a bore yn y gaeaf, ac roeddwn wedi cael hanes lle arall yn nes adref. Doedd gen i fawr o awydd reidio beic bach bum milltir fore a nos, yn enwedig ar dywydd mawr.

Erbyn hyn, gan nad oeddwn yn mynychu'r dafarn, roedd fy amser hamdden bron i gyd yn mynd ar yr afon. Sgota llawer iawn a photsio ambell i sgodyn hefyd, ond dim ond ambell un. Gan nad oeddwn yn gwario fy mhres ar ddiod, doedd dim angen mynd i chwilio am bres baco mor aml! Ond eto, roedd y demtasiwn yn dal yno pan welwn gynffon sgodyn da yn dod i'r golwg o dan rhyw garreg; cynffon fyddai'n ysgwyd yn ôl a blaen efo'r dŵr, fel petai'r sgodyn yn codi ei law arnaf. Rhoi magl am ei gynffon fyddai'r hanes a'i dynnu allan er mwyn cael pres i brynu gêr sgota i drio dal ei dad!

Cael gwaith fel cipar

Dechreuodd tymor sgota 1959 yn sych iawn, a dim ond un lli a wnaeth hi drwy'r tymor, ond fe wnaeth li ar ddiwrnod ola'r tymor, sef Hydref 17eg. Mi gofiaf hynny'n iawn oherwydd aeth Emrys fy mrawd a minnau i sgota ar y diwrnod canlynol (y diwrnod ar ôl i'r tymor gau). Cafodd Emrys dri gwyniedyn a minnau ddau yn Llyn Dan Bont Llew. Gan fod y tymor wedi bod yn sych, a dim un sgodyn wedi dod i fyny oherwydd hynny, rhaid oedd bodloni ar ddal rhai bychain efo'r enwair am ffidan.

Ar ganol y tymor, cefais wybod fod Ned Ellis, cipar afon Glaslyn, yn rhoi'r gorau iddi, a bod eisiau rhywun yn ei le. Roeddwn yn ffansïo fy hun fel cipar, gan fy mod yn sgotwr go lew ac yn gwybod am arferion potsiars hefyd. I ffwrdd â mi i weld Osmond Banc, ysgrifennydd y clwb sgota. Dywedais wrtho fod gen i awydd cynnig am waith cipar ar afon Glaslyn ac fe ysgrifennodd lythyr er mwyn i mi ei gopïo a'i yrru i swyddfa'r Adran Bysgota yng Nghaernarfon. Bûm yn disgwyl am wythnosau wedyn, ond ni chefais hyd yn oed ateb ganddynt.

Wedi imi gynnig am y gwaith, rhoddais y gorau i botsio yn gyfan gwbl. Wn i ddim ai am fy mod wedi gyrru'r llythyr i gynnig am y gwaith yr oedd hynny, ynteu am fod y cipar newydd, Ellis Jones, flynyddoedd yn iau na John Hugh ac ni wyddech ym mhle y caech hyd iddo fo.

Glangaeaf 1959, gadewais fy lle eto a mynd ar ôl y pres mawr i Atomfa Trawsfynydd. Wrthi yn ei hadeiladu yr oeddynt yr adeg honno a chefais waith ar fy union efo *Palmer's Scaffolding*. Fi oedd y dyn cyntaf, ar wahân i'r asiant, i fod yn y Traws. Roedd cyflog mawr i'w gael yno — £18 yr wythnos, ac os cawn Sul i mewn, byddwn yn mynd adref gyda dros £21. Er hynny, cefais lond bol ar drin peipiau bob dydd ac ar Galan Mai 1960 euthum yn ôl i weini, y tro yma i Fron Eifion, Cricieth am £6 yr wythnos a'm lle. Roeddwn yn llawer hapusach yn gweld llo bach yn tyfu nag yn gweld twˆr o beipiau yn tyfu ar ochr adeilad!

Wythnos bentymor Calan Mai 1961 oedd hi pan gwrddais â Daniel Pritchard, cipar y clwb sgota lleol. Erbyn hyn, roeddwn yn ddyn reit barchus; byth yn yfed na chodi twrw, yn sgota'n gyfreithlon, byth yn potsio a phob amser yn barod i gynorthwyo'r clwb i wneud llwybrau a thacluso glan yr afon. Yn ystod y sgwrs, soniodd Daniel fod Ellis Jones am roi'r gorau i fod yn gipar ac y byddai o (Daniel) wrth ei fodd pe bawn yn cynnig am y gwaith. Buom yn sgwrsio am y peth am sbel, ond roeddwn newydd gyflogi am dymor arall ym Mron Eifion ac yn hapus iawn yno. Roedd Gwynant Hughes y ffermwr yn un hawdd iawn gwneud ag o, a Daniel Jones, y gwas arall, y mêt gorau y bûm yn gweithio gydag o erioed. Yr oeddwn wedi bod ym Mron Eifion ers blwyddyn, heb air croes rhwng yr un ohonom. Dyna'r lle gorau y bûm yn gweini ynddo erioed. Roedd Beryl, gwraig Gwynant, wedi gwneud llofft glyd imi yn yr *harness room* i lawr yn yr iard a byddai'n glanhau'r lle yn gyson ac yn gwneud fy ngwely. Un dda oedd hi am roi llond bol o fwyd imi hefyd. Cawn gig moch ac ŵy i frecwast ganddi yn lle'r bara llefrith neu'r uwd yr oeddwn wedi arfer ei gael.

Mewn un lle y bûm ynddo cofiaf fel y byddai'r forwyn yn lladd hen iâr a oedd wedi cael ei bwydo ar india corn, ac wedi ei phluo roedd yr iâr yn felyn o fraster. Berwai'r forwyn yr iâr inni ei chael i ginio. Roedd hynny'n iawn — y bore wedyn oedd y drwg. Berwai'r potas inni i frecwast, a hynny heb dynnu'r saim oddi ar ei wyneb pan oedd o'n oer. Dyna ichi stincar o frecwast — fel powliad boeth o *cod liver oil* o'ch blaen! Llwyddais i'w fwyta ddwywaith ond methu a wnes y trydydd tro ac ni chefais mohono wedyn. Ar ôl bwyta'r ffasiwn saim, doedd arnaf fawr o awydd bwyd am gryn wythnos wedyn.

Na, yr oeddwn yn rhy hapus fy lle i gynnig am waith cipar afon, a chan fy mod wedi cyflogi i aros ym Mron Eifion am chwe mis arall, nid oeddwn am adael Gwynant ar ganol y tymor ac yntau wedi bod yn feistr mor dda i mi.

Soniais wrth Emrys fy mrawd am y sgwrs yr oeddwn wedi'i chael gyda Daniel, a chan fod Emrys, fel minnau, yn sgota ac yn potsio rhyw ychydig, mi ofynnais iddo a oedd ganddo awydd cynnig. Fe wnaeth, ac fe'i cafodd, gan ddechrau ym mis Gorffenaf 1961.

Tua chanol hydref y flwyddyn honno, dywedodd Emrys wrthyf fod angen cipar ar afon Glaslyn am fod y sawl oedd yno yn rhoi'r gorau iddi, a phwysodd arnaf i gynnig amdani. Dyma sgrifennu llythyr a'i anfon i Gaernarfon unwaith eto, gan ddisgwyl cael ateb cyn pentymor er mwyn imi gael bod yn rhydd i'm cyflogi ar Dachwedd 11eg — ond chlywais i yr un gair. Ni chyflogais y tymor hwnnw rhag ofn imi gael cynnig y swydd.

Ganol Tachwedd, dywedodd Emrys fod eisiau imi fynd gydag ef i Ddolwyddelan i gyfarfod â Herbert Evans yn y ddeorfa bysgod sydd yng Nghae Du, ar fin y ffordd rhwng Betws-y-coed a Dolwyddelan, ac aeth â mi o gwmpas y lle, gan esbonio beth oeddynt yn ei wneud yno. Sgwrsiai yn hamddenol braf efo mi, heb ofyn cwestiynau fel yr oeddwn wedi ei ofni. Ar ôl bod yn sgwrsio yn hir, dyma fo'n gofyn,

'*Tell me Edgar, have you done any poaching yourself?*'

Nid oeddwn am ddweud 'na', oherwydd yr oeddwn yn gwybod bod y dyn wedi bod ar fy ôl ar afon Dwyfor ac wedi methu fy nal. Felly, dywedais wrtho,

'*Yes, I've done my share, but I haven't been for two years.*'

Wnaeth o ddim ateb am sbel, dim ond chwerthin. Yna dywedodd,

'*I want you to go and see the chairman of the Board. I believe you know him, he's Dr Prytherch of Cricieth.*'

Disgynnodd fy ngobeithion braidd pan ddywedodd hynny. Roedd Prytherch yn gwybod fy hanes yn iawn, ac ar wahân i botsio eogiaid, roedd o'n gwybod yn iawn fy mod wedi bod yn saethu ffesantod ar ei *shoot* yn Nhrefan. Os oedd fy mhenodiad i swydd cipar afon yn dibynnu ar air y dyn yma, roedd wedi canu arnaf, doedd waeth imi roi'r ffidil yn y to ddim, a mynd yn ôl i weini ffarmwrs. Damia, a minnau wedi gadael lle da!

Ta waeth, i weld y Dr Robert Rees Prytherch y bu'n rhaid mynd ymhen rhyw ddiwrnod neu ddau, a'i weld pan oedd yn cynnal ei feddygfa ym Mhlas Newydd, Cricieth. Cafodd y cleifion a oedd yn disgwyl ei weld aros tra bu'n fy holi am hyn a'r llall, ac yn y diwedd dywedodd,

'Edgar, os gei di y job yma, does 'na ddim blydi potsio i fod. Wyt ti'n fy nallt i?'

'Ydw,' meddwn, gan fynd i'm gilydd i gyd.

Rai dyddiau wedyn, dyma lythyr swyddogol imi o'r swyddfa yng Nghaernarfon yn dweud fy mod wedi llwyddo gyda'm cais i gael swydd cipar, a 'mod i i ddechrau ar Ragfyr 4ydd, 1961. Wrth gwrs, yr oeddwn wrth fy modd. Dim mwy o lardio ar y fferm, dim ond cerdded yr afon a dal potsiars!

Troi at waith cipar

Dechreuais ar y gwaith yn llawn hyder, gan feddwl na fyddwn yn hir cyn dal bob potsiar. Wyddwn i ddim ar y pryd beth oedd o'm blaen; yr oriau hir, oerni, cega, dicter ac weithiau ddigalondid, heb sôn am lawer diwrnod o lardio efo rhwydi. Buan iawn hefyd y sylweddolais fod cipar profiadol wedi anghofio mwy am yr afon nag a ddysgais i erioed.

Rwy'n cofio Rhagfyr y 4ydd, bore cyntaf fy ngwaith newydd yn glir iawn. Daeth dau gipar o afon Conwy, sef Pat Davies o Sir Fôn ac Eric Evans o Fethesda, i dŷ fy mam a 'nhad gan gario moto-beic BSA 350cc gwyrdd imi. Ar ôl iddynt gael paned a sgwrs, aethant am afon Conwy, wedyn aeth Emrys â mi i fyny'r Glaslyn i ddangos yr afon i mi, gan na wyddwn i ddim amdani. Doeddwn i erioed wedi sefyll ar ei glannau hyd yn oed.

Roedd yna bedwar moto-beic o flaen fy nghartref, dau BSA 350cc gwyrdd a oedd yn eiddo i'r Bwrdd Dŵr, fy Triumph Twin 250cc glas innau, a rhyw feic o'r enw Bianci 150cc o'r eiddo Emrys. Beic go fychan oedd y Bianci a doedd ei fariau llywio fawr lletach na'i danc petrol, ac roedd o fel petai wedi ei wneud ar gyfer sbîd gyda rhyw siâp beic rasio arno fo.

Yn y cyfnod yma deuthum i adnabod W.S.Jones, neu Wil Sam fel y mae pawb yn ei adnabod. Cadwai Wil Sam garej y Crown yn Llanystumdwy ac roedd o wrth ei fodd gyda moto-beics. Fo fyddai'r 'doctor' pe byddai unrhyw nam ar y beics. Bob tro y byddwn yn mynd â beic yno i'w drwsio, byddai Wil yn mynnu mynd am *test drive* cyn ei roi yn ôl i mi. Mae'n siŵr gen i ei fod wedi gwirioni efo'r Bianci bach oherwydd hwnnw fyddai'n cael y sylw mwyaf ganddo. Byddai wrth ei fodd yn mynd am reid arno fo. Mae Wil wedi rhoi'r gorau i'r garej ers blynyddoedd lawer ond rwy'n siŵr petaech yn mynd â moto-beic ato i'w drwsio heddiw y mynnai roi treial go dda iddo cyn y caech ef yn ôl.

Cofiaf fynd â'r Triumph Twin at Wil rhyw dro. Dyma Wil yn mynd â fo am dreial i Bengroes, Llanystumdwy ac yn ôl.

'Faint wyt ti'n fedru ei gael allan ohono fo, Edgar?'

'O, rhyw eti ffeif,' atebais.

'Damia, fedra' i ddim cael ond eti.'

Aeth wythnos gyntaf y gwaith heibio yn esmwyth gydag Emrys yn mynd â mi o gwmpas gan ddangos hyn a'r llall i mi. Bob nos, byddem allan yn chwilio am botsiars yn 'lampio' oherwydd yr oedd yna gryn dipyn o'r gêm honno yn digwydd bryd hynny. Daniel Pritchard, Llanystumdwy fyddai'n dod gyda ni bob nos. Fy wythnos gyntaf i oedd hon a'r gaeaf cyntaf i Emrys, a doedd o, fwy na minnau'n fawr o gamblar arni yr adeg honno. Roedd Daniel wedi bod yn gipar y clwb ers blynyddoedd lawer, ac wedi arfer gweithio gyda chiperiaid eraill. Felly, fo oedd yn ein rhoi ar ben y ffordd.

Bryd hynny roedd afon Croesor, y darn wrth ymyl Tan Lan, Llanfrothen a elwir yn Gwernydd, yn lle drwg iawn, ac i'r fan honno yr oeddem ni'n mynd, ond welsom ni ddim byd yno. Rwy'n sylweddoli erbyn heddiw mai braidd yn rhy ddiweddar oedd hi yn y fan honno; roedd y rhan fwyaf o'r pysgod wedi bod yn claddu yn y darn yma ers diwedd Tachwedd, ond doedden ni ddim callach yr adeg honno.

Ar fy seithfed diwrnod wrth y gwaith, yr oeddwn am fynd allan wedi iddi dywyllu, yn ôl yr arfer, ond am y tro cyntaf heb Emrys fy mrawd. Roedd ganddo ddêt gyda rhywun, felly dim ond Daniel a mi oedd yn mynd.

Galwais yn nhŷ Daniel, ac roedd hwnnw'n fy nisgwyl. Meddai,

'Fe awn ni i dop afon Erch heno am newid.'

I ffwrdd â ni ar y moto-beic, a Daniel ar y peilon yn dweud wrthyf pa ffordd i fynd. Doedd gen i ddim amcan ble'r oedd top afon Erch, heb son am y ffordd i fynd yno.

Gadawyd y moto-beic, a cherdded i fyny ffordd gul, ac yna dringo yn uchel i fyny rhyw fryn go fawr. Yna wardio ym môn y clawdd er mwyn cael cysgod, gan ei bod yn oer iawn yn y gwynt i fyny yn y fan honno. Esboniodd Daniel fod angen dod yn uchel er mwyn gallu gweld darn go lew o'r afon, a chan ei bod hi mor dywyll â'r fagddu, bu'n rhaid iddo ddweud wrthyf i ba gyfeiriad yr oedd yr afon a pha ffordd yr oedd ei chwrs yn mynd, gan na allwn ei gweld.

Wedi bod yno am ychydig, dyma weld golau ar yr afon.

'Dyma nhw yli,' meddai Daniel. 'Aros rŵan imi gael gweld pa ffordd maen nhw am fynd.'

Dyma aros am sbel, ac yna cael ar ddeall mai i fyny'r afon tuag atom yr oedd y golau'n dod. Fel y dywedais, roedd hi'n noson oer, ond roedd gweld y golau wedi fy nhwymo rhywsut a fedrwn i ddim mynd at yr afon yn ddigon buan. Ymlwybro i lawr ati a'r golau yn dal i ddod yn nes, ond pan oedd o bron â chyrraedd dyma'r sawl oedd efo'r lamp yn gadael y lan a dechrau cerdded oddi yno ar draws y cae. Aeth Daniel a minnau ar ei ôl a rhoi golau arno. Wel dyma hi'n ras, y potsiar yn mynd nerth ei draed o'm blaen ac yn taflu'r dryfer a oedd ar ei ysgwydd wrth iddo redeg. Gennyf i oedd y fantais wrth redeg ar ei ôl. Daliwn olau arno ac yr oedd yntau'n rhedeg i'w gysgod ei hun. Baglodd nes yr oedd ar ei hyd, ac felly daliais fy mhotsiar cyntaf.

Wn i ddim yn iawn pwy oedd wedi cynhyrfu fwyaf, y fi ynteu'r bachgen a oedd wedi cael copsan, ac mae'n dda fod Daniel yno neu does wybod beth fyddwn wedi ei wneud. Daniel ddywedodd wrthyf am ddangos y cerdyn warant i wneud pethau'n swyddogol, gan nad oeddwn i wedi meddwl am y ffasiwn beth. Fi oedd y cipar a hwn oedd y potsiar, a dyna fo! Wyddwn i ddim ei bod hi'n orfodol dangos y cerdyn warant er mwyn gwneud pethau'n swyddogol. Nid oes angen gwneud hynny yn y tywyllwch heddiw, mae'n ddigon ichi ddweud 'Fi ydi'r cipar' ac ae hynny'n swyddogol.

Wedi cael enw a chyfeiriad y bachgen a holi tipyn arno (Daniel oedd yn holi wrth gwrs, a minnau'n gwrando ar bob gair i gael dysgu dipyn bach), cafodd fynd, ond heb ei dryfer a'i lamp. Fedrwn i ddim mynd adref yn ddigon buan y noson honno. Beth ddywedai Emrys, tybed? Roedd wrth y gwaith o'm blaen i a dyma fi wedi dal potsiar o'i flaen! I ffwrdd â mi am adref ar y moto-beic, y fi wrth y llyw a Daniel ar y tu ôl yn cario'r dryfer. Doedd yna ddim pysgod wedi eu dal.

Bu'n rhaid aros yn nhŷ Daniel ar y ffordd adref — dywedodd wrthyf am ysgrifennu pob dim oedd wedi cael ei ddweud cyn gynted ag yr oedd modd, rhag ofn imi anghofio rhywbeth. Erbyn imi gyrraedd adref, yr oedd ymhell wedi un ar ddeg, ond doedd dim golwg o

Emrys. Nid oedd wedi cyrraedd adref ac roedd pawb arall yn eu gwlâu. Gadawais y lamp a'r dryfer mewn lle y byddai'n siŵr o'u gweld pan ddeuai i'r tŷ, yna i'r gwely â mi.

Ni allwn gysgu, dim ond gorwedd yn fy ngwely yn aros am sŵn y Bianci bach yn dod tuag adref. O'r diwedd clywais ei sŵn, a chlywais Emrys yn dod i'r tŷ ac yna, ymhen sbel fach, ei sŵn yn dod i fyny i'r llofft. Cofiaf yn iawn fel y daeth i'r llofft gyda gwên lydan ar ei wyneb, ei wên bron gymaint â'r un oedd gennyf fi. Mynnai gael gwybod pob dim — pwy oedd y boi, ym mhle roedd y pysgod, beth oedd o wedi ei ddweud, oedd o'n cega? Bu'n rhaid dweud yr hanes sawl gwaith cyn ei fodloni, a minnau wrth fy modd yn cael dweud wrtho hefyd.

Fel y dywedais, ar y seithfed diwrnod wedi imi ddechrau fel cipar y cafodd y bachgen hwn gopsan, ac yn rhyfedd iawn, welais i mohono wedyn tan y seithfed diwrnod wedi imi ymddeol. Roeddwn wedi cael fy ngyrru i Ysbyty Gwynedd am fy mod yn dioddef o garreg yn fy aren, ac fe ddaeth y dyn yma i mewn i weld cyfaill a ddigwyddai fod mewn ward arall. Yr oeddwn wedi ei adnabod o, ac es ato i siarad. Diolchais iddo am roi cychwyn mor dda i'm gyrfa. Wrth gwrs, doedd gan y dyn ddim amcan am beth yr oeddwn yn siarad, ac nid wyf yn meddwl ei fod ddicach wrthyf pan ddywedais wrtho pwy yr oeddwn, ac at beth yr oeddwn yn cyfeirio. Rwyf wedi ei weld rhyw ychydig o weithiau wedyn ond ni fûm yn siarad ag o. Pe dywedwn ym mha le yr oedd o fe fyddai pawb yn yr ardal hon yn gwybod pwy ydyw. Nid yw hynny'n deg, oherwydd ni roddodd y gŵr droed o'i lle ers hynny ac y mae'n uchel iawn ei barch, nid yn unig yn ei gynefin ei hun, ond gan bawb sydd yn ei adnabod.

Rhyw ddiwrnod neu ddau ar ôl dal fy mhotsiar cyntaf, deuthum i ddeall nad oedd y gwaith yn mynd i fod yn fêl i gyd. Cefais alwad ffôn gan y pencipar, Emrys Lloyd Price, Dolwyddelan. Gofynnodd i Emrys fy mrawd a minnau ei gyfarfod yng Nghae Du, Dolwyddelan fore trannoeth, er mwyn mynd i rwydo'r afon i ddal eogiaid i'w godro ar gyfer cael wyau i'r ddeorfa yng Nghae Du.

Ar ôl cyfarfod Emrys Price y bore wedyn, aethom i rwydo llynnoedd ar y Lledr gerllaw Dolwyddelan. Fedra' i ddim cofio yn iawn, ond rwy'n credu bod yna gaenen fach o eira ar y caeau ac rwy'n siŵr ei bod hi'n rhewi. Beth bynnag am hynny, roedd hi'n felltigedig o oer. Wrth rwydo un llyn, dyma sgodyn o'r rhwyd ar ôl ei dynnu i'r lan ac i mewn â fo i lyn bach ar lan yr afon. Pwll bach tua phymtheg modfedd o ddyfnder oedd o, a'r dŵr yn fudur iawn fel nad oedd modd gweld yr eog. Chwiliwn am y sgodyn gyda'm dwylo yn y dŵr pan ofynnodd Emrys Price imi ddal y rhwyd iddo, gan fod twll ynddi. Cofiaf sefyll yno, yn dal y rhwyd uwch fy mhen. Ni fu 'nwylo erioed mor oer; gallwn eu gweld ond fedrwn i mo'u teimlo. Dechreuais chwysu o'm talcen, a chofiaf feddwl y byddai paned yn dda, a dyna'r cwbl a gofiaf oherwydd mae'n rhaid fy mod wedi llewygu.

Cafodd y ddau Emrys dipyn o fraw, oherwydd fel y deallais wedyn, oni bai iddynt ruthro i'm dal byddwn wedi syrthio i'r afon. Rhyw led cae oedd at dŷ Emrys Price ac fe aeth o â mi adref i gael paned, ond yr oeddwn wedi dod ataf fy hun erbyn hynny ac yn teimlo'n iawn.

Buom yn rhwydo wedyn am y rhan fwyaf o'r dydd, ac er ei bod hi'n oer iawn o hyd, nid oeddwn yn teimlo'r oerfel. Euthum at Dr Prytherch ar ôl dod adref ac fe ddywedodd wrthyf,

'Os oedd dy ddwylo di mor oer, a thithau'n dal dy ddwylo uwch dy ben, beth arall oeddat ti'n ei ddisgwyl?'

Wrth ddal fy nwylo i fyny, roeddwn yn torri ar gylchrediad y gwaed ac fe allai ddigwydd i unrhyw un heb feddwl.

Digwyddodd y dwylo oer a'r chwysu amryw o weithiau wedyn yn ystod y blynyddoed nesaf, ond fe wyddwn pan oeddwn yn dechrau chwysu mai rhoi'r gorau iddi a chael paned o de a smôc (os oedd yn bosib) fyddai orau. Y peth rhyfeddaf ynglŷn â chael un o'r pyliau hyn ac yna ddod ataf fy hun oedd nad oedd ots pa mor oer y byddai wedyn, ni fyddai'r oerfel yn effeithio arnaf. Byddai fy nwylo'n gynnes hyd yn oed pan fyddwn yn gwneud rhywbeth â'm dwylo yn nŵr oer yr afon.

Aeth misoedd y gaeaf cyntaf heibio, a chefais sbec ambell ddiwrnod i weld sut le oedd ar yr afon er mwyn cael rhyw amcan i ba le i fynd pan ddeuai'r tymor sgota. Prif waith y gaeaf cyntaf oedd paratoi deorfa bysgod yng Ngharreg Felin, Pentrefelin. Roedd Ellis Jones, y cipar o flaen Emrys, wedi llwyddo i gael rhyw gwt dau lawr o'r eiddo David Carey Evans, Eisteddfa ar rent i'r Bwrdd Dŵr. Gan fod Ellis wedi dechrau ar y gwaith, ei orffen fu Emrys a minnau drwy'r gaeaf, gyda chymorth Emrys Price yn aml.

Pan ddaeth y tymor sgota ar ddechrau Mawrth, byddwn yn mynd ar y moto-beic bob dydd i fyny afon Glaslyn cyn belled â Llyn Gwynant. Roeddwn yn dyheu am gael cyfarfod sgotwr er mwyn imi gael gofyn am ei drwydded, ond ni welais neb. Crwydro i fyny afon Dwyryd hefyd, ac yno ar brynhawn Sadwrn y cwrddais â'r sgotwr cyntaf. Gofynnais iddo am gael gweld ei drwydded gan deimlo'n reit bwysig wrth ofyn. Dangosodd y dyn ei drwydded imi ac ysgrifennais fy enw a'r dyddiad ar y darn ar ochr dde'r drwydded yn ôl y cyfarwyddiadau a roddwyd imi. Rhaid oedd arwyddo pob trwydded a welwn, oherwydd petai'r pencipar neu'r *Fisheries Superintendant* yn dod a gofyn am drwydded y sgotwr, byddai fy marc arni, ac felly fe wyddent fy mod yn gwneud fy ngwaith.

Ar un o'm teithiau dibysgotwr i fyny afon Glaslyn, digwyddais daro ar y diweddar Owie Jones, Britannia, Porthmadog. Ef oedd ysgrifennydd Clwb Pysgota'r Glaslyn am flynyddoedd lawer a'r ysgrifennydd pan gwrddais ag ef y tro hwn. Bûm yn sgwrsio ag Owie am sbel go lew ac fe ddywedodd wrthyf ble'r oedd pobl yn sgota a sut y byddent wrthi, a dywedodd pa lefydd oedd y rhai gorau ac enwau rhai o'r llynnoedd ar yr afon. Eglurodd nad oedd fawr neb yn cyboli dod i sgota'r Glaslyn ym mis Mawrth ac mai ar y dydd cyntaf o Ebrill y byddai pawb yn dechrau, a hynny, fel arfer, ar y darn isaf o'r afon rhwng Penrhyndeudraeth a Phorthmadog. Eglurodd mai ar y cyntaf o Ebrill yr oedd y tymor eog a gwyniedyn yn dechrau, ac mai yn rhan isaf yr afon y byddent yn cael eu dal. Dywedodd wrthyf na châi neb sgota o Bont Croesor (pont rhwng Pren-teg a Llanfrothen) i lawr i Borthmadog ym mis Mawrth am nad oedd yna fawr o frithyll yn y rhan hon o'r afon, dim ond gwyniadau, ac roedd y rhain yn dod o dan y drwydded ar gyfer eogiaid. Er mai brithyll môr ydynt, mae'n rhaid cael trwydded eog i'w dal os am eu cadw.

Felly, aeth mis Mawrth heibio a minnau'n crwydro afon Glaslyn bron bob dydd. Chwe diwrnod yr wythnos ac un diwrnod segur oedd hi yr adeg honno, a sôn am oriau — byddwn wrthi o ben bore tan dywyllnos bob dydd. Welais i neb ar afon Glaslyn y mis hwnnw ond mi welais amryw ar afon Dwyryd, ac ar ddydd Sadwrn y byddwn yn eu gweld yno. Roedd pawb yn gweithio yn ystod yr wythnos, doedd dim sôn am y diweithdra sydd heddiw, ac felly, ar ddydd Sadwrn, byddai pawb yn ymlacio. Nid oedd sgota ar y Sul ar afon Dwyryd yr adeg honno.

Lli Mawr

Daeth Ebrill y 1af, 1962, a bu hwnnw'n andros o ddiwrnod. Bu'n glawio y rhan fwyaf o'r nos ac fe lawiodd drwy'r dydd, ac o'r herwydd roedd lli mawr yn yr afon, a hwnnw'n dal i godi'n ddi-baid drwy'r dydd. Mae dorau ar geg afon Glaslyn ym Mhorthmadog i reoli'r llanw. Pan ddaw'r llanw i mewn, mae'r dorau'n cau, a chan nad oes lle i'r afon lifo allan, bydd y dŵr yn cronni yr ochr uchaf i'r dorau. Mwya'n y byd o ddŵr sy'n yr afon, mwya'n y byd o ddŵr sy'n cronni. Felly yr oedd hi y bore hwn, y dorau wedi cau ers rhai oriau a'r dŵr wedi cronni nes ei fod dros y glannau ac ar hyd y Cob. Daeth ambell i sgotwr allan, ond doedd neb wedi dal sgodyn. Erbyn amser te, roedd y Traeth Mawr ar hyd y Cob o dan ddŵr bron i gyd a doedd dim dichon i neb fynd ar gyfyl yr afon i sgota. Penderfynais fynd i fyny i fwlch Aberglaslyn ar y moto-beic. Wedi cael un drochfa yn y bore ac wedi gorfod newid, yr oeddwn yn mynd am ail drochfa'r diwrnod.

Pan oeddwn bron â chyrraedd Aberglaslyn, ble mae'r afon yn dod at y ffordd a honno wedyn yn troi oddi wrth yr afon heibio fferm Dinas Ddu, gwelais bedwar neu bump o ffermwyr, a sylwais fod yr afon wedi gorlifo gan greu ynys ble'r oedd tua dau ddwsin o ddefaid wedi eu hamgylchynu gan ddŵr.

Stopiais efo'r ffermwyr ac fe ddywedodd un ohonynt

nad oedd gobaith cael y defaid oddi yno am na ellid croesi atynt. Gan fod 'wedars' at dop fy nghoesau gennyf i dyma roi cynnig arni. Mi es dros y 'wedars' ond mi lwyddais i groesi. Roeddwn wedi gwylchu'n barod, felly doedd fawr o ots 'mod i'n gwlychu eto, a daliais i fynd drwy'r dŵr. Llwyddais i ddal gafael ar ddafad a chroesais yn ôl at y ffordd gyda'r ddafad a'i chael o'r dŵr. Mi wnes hyn rhyw dair neu bedair gwaith i gyd gan adael pob dafad wrth y giât. Euthum o gwmpas y gweddill a chan eu bod yn gallu gweld y defaid eraill wrth y giât, llwyddais i'w cael i groesi'r pymtheg llath ar draws y dŵr at y ffordd. Tra oedd Daniel Evans, Dinas Ddu (perchennog y defaid) yn mynd â'r defaid oddi yno i le saff, neidiais ar y moto-beic ac i ffwrdd â mi am adref.

Bythefnos yn ddiweddarach roeddwn yn mynd heibio Dinas Ddu pan gefais arwydd i aros gan rhyw ddyn. Deuthum i'w adnabod fel Dafydd Parry, brawd-yng-nghyfraith Daniel Evans. Ffermiai Dafydd Parry Dinas Ddu gyda Daniel Evans, a gofynnodd imi mewn llais tawel,

'Chi fuodd yn nôl y defaid o'r dŵr y diwrnod o'r blaen?'

'Ie,' meddwn innau.

'Wedi bod yn edrych amdanoch ers dyddiau,' meddai'r gŵr tawel. Dyma fo i boced ei wasgod ac yna rhoi dwybunt imi.

Wrth gwrs, doedd gennyf ddim eisau tâl a dweud y gwir. Doeddwn i ddim wedi meddwl fawr am y peth wedyn. Roeddwn wedi gweithio ar fferm a doedd symud rhyw lond dwrn o ddefaid o un lle i'r llall ddim yma nac acw. Fynnai'r dyn ddim, roedd yn rhaid imi eu cymryd, ac fe ddywedodd,

'Yna fasan nhw wedi bod oni bai amdanoch chi. Mi fuodd y dŵr dros fan'na i gyd ac mae'n siŵr y basan ni wedi eu colli.'

Felly deuthum i adnabod dau ŵr Dinas Ddu, ac yn ystod y blynyddoedd i ddod, cefais lawer sgwrs â'r ddau.

Erbyn drannoeth, roedd y dŵr wedi gostwng dipyn ac roedd yna lu o sgotwyr ar ddarn isaf yr afon. Os fu mis Mawrth yn dawel, roeddynt yn gwneud iawn am hynny rŵan. Roedd sgotwyr ym mhob man, ac os cofiaf yn iawn mi welais dros gant ohonynt y diwrnod hwnnw'n unig.

Sgota afon Glaslyn

Ar yr olwg gyntaf, rhyw sgota rhyfedd iawn oedd yn
digwydd ar afon Glaslyn. Cefais fy nysgu pan yn sgota
pry genwair ar yr afon i afael yn fy ngenwair bob amser.
Taflu'r abwyd dipyn i fyny'r afon, ac yna gadael i'r dŵr
fynd â fo i lawr yr ochr isaf imi. Yna, ei dynnu o'r dŵr
a'i daflu yn ôl yr ochr uchaf imi. Felly y gwelais bawb
yn sgota ar afon Dwyfor.

Byddai sgotwyr afon Glaslyn yn rhoi plwm go lew
rhyw lathen oddi wrth yr abwyd, a'i daflu i'r dŵr. Yna
rhoi yr enwair i lawr — ar fforch yn aml iawn — a rhoi
cloch fach ar ben yr enwair. Pan fyddai sgodyn yn
cymryd yr abwyd, byddai'r gloch fach yn canu wrth i
flaen yr enwair ysgwyd. Yr unig dro imi weld hyn yn
cael ei wneud cyn hynny oedd gan sgotwyr môr, a
theimlwn mai sgotwyr môr oedd y rhain ac nid sgotwyr
afon. Daeth yn amlwg fod gennyf lawer i'w ddysgu am
fod dulliau sgota'r afonydd Glaslyn a Dwyfor yn hollol
wahanol.

Gwelais amryw o bysgod yn cael eu dal y diwrnod
hwnnw; pysgod o rhyw hanner pwys hyd at 2½-3
phwys oedden nhw, a sylwais nad oedd hyd yn oed y
pysgod yn debyg i bysgod afon Dwyfor. Roedd yn
ddigon amlwg mai gwyniadau oedd y pysgod, ond
doedd y lliw ddim yr un fath rhywsut. Pysgod gloyw
oeddynt, ond â gloywder mwy fflat rhywsut na'r

gwyniadau yr oeddwn i wedi arfer eu gweld. Hefyd, roeddynt yn deneuach na physgod afon Dwyfor.

Wedyn y deuthum i ddeall mai pysgod wedi bod yn claddu oedd y pysgod yma; ar eu ffordd yn ôl i'r môr yr oeddynt, ac nid pysgod yn dod o'r môr i'r afon.

Yng ngwaelod afon Glaslyn mae yna faint fyd a fynnir o fwyd i'r pysgod, yn berdys *(shrimps)*, abwydod y môr *(ragworm)* a phethau eraill, a bydd gwyniadau afon Glaslyn, ar ôl claddu i fyny'r afon, yn dod yn ôl i fwydo i'r darn hwn am y gaeaf, cyn mynd yn ôl i'r môr fel y gwnânt mewn afonydd eraill.

Kelts oedd yr enw ar y pysgod yma, ac yn iawn doedd gan neb hawl i'w cadw. Mae'r *Salmon and Freshwater Fisheries Act* yn dweud bod *Kelt* yn *'Unclean fish'* a *'fish that has not recovered from spawning.'* Er bod y pysgod yma wedi claddu oddeutu mis Tachwedd, roeddynt hefyd wedi bod yn bwydo yn helaeth drwy'r gaeaf ac wedi mendio dipyn. Hynny yw, roedd gwell gwedd arnynt nag a oedd ar ôl claddu, ac er nad oeddynt gystal â phan ddaethant i'r afon, doedden nhw ddim digon tenau i'w galw yn *unclean* yng ngwir ystyr y ddeddf, ac felly roedd hi'n iawn i'w cadw. Serch hynny, byddent wedi mynd yn ôl i'r môr a dod yn ôl i'r afon ymhen rhyw ddau fis yn well pysgod, gan fynd i fyny'r afon i gladdu, ac felly magu mwy. Peth drwg yw tlodi'r afon o'r pysgod hyn.

Ar nos Wener yr wythnos gyntaf honno, welais i erioed ffasiwn sgotwyr. Sgotwyr Port oedd ar hyd y Cob, ond yn uwch i fyny am bont y rheilffordd, sgotwyr Penrhyndeudraeth, Minffordd a Blaenau Ffestiniog oedd yn sgota, a chan ei bod yn nos Wener, roedd llawer ohonynt yn aros dros nos. Gwelwn rhyw bedwar neu bum tân yma ac acw ar lan yr afon, a rhyw wyth i ddeg o sgotwyr oddi amgylch bob un. Roedd pawb wedi taflu'r abwyd i'r dŵr gyda chloch fach ar ben yr enwair. Wedi iddi dywyllu, os oedd y gloch yn canu a neb yn siŵr pa gloch oedd hi, byddai bob un ohonynt yn rhuthro at ei enwair ac yn tynnu'r abwyd i mewn, rhag ofn.

Fel y dywedais eisoes, roedd angen trwydded eog i ddal y gwyniadau yma, ac roedd y drwydded yn costio £3-5-0 (£3.25) yr adeg honno, a thrwydded brithyll yn unig yn costio 15/- (75c). Byddai gan lawer o'r sgotwyr hyn drwydded brithyll yn unig. Ymhen ychydig ddyddiau sylweddolais mai sgotwyr trwydded eog oedd yn dal y pysgod; fyddai gan y sgotwyr trwydded brithyll fyth sgodyn pan oeddwn i'n dod i'w cyfarfod a gwelwn hyn yn beth rhyfedd iawn. Gan fod pawb yn defnyddio'r un dull o sgota, yr hyn oedd yn digwydd oedd fod y dyn 15/- un ai yn rhoi ei bysgod ym mag y dyn £3-5-0, neu yn cuddio'r pysgod rhag i mi eu gweld. Penderfynais nad oedd hyn yn deg o gwbl. Pam y dylai un dalu £3-5-0 ac un arall dalu 15/- am wneud yr un peth yn union? Felly, dyma geisio adnabod y dyn 15/- ac yn lle mynd ato, cadw golwg arno efo sbienddrych er mwyn ceisio ei ddal. Mi fu Emrys fy mrawd a Daniel Pritchard gyda mi lawer gwaith ar drywydd y rhain, a chredaf inni ddal chwech ohonynt ar y gêm. Gwaith gweddol hawdd oedd dal y ddau gyntaf, ond yna aeth y gair ar led fod hwn-a-hwn wedi ei ddal a byddent yn cadw llygad barcud amdanaf wedyn.

Hogiau Penrhyn gafodd eu dal i gyd; doedd dim dichon mynd at hogiau Port gan fod y rheiny'n sgota ar hyd y Cob, a doedd dim posib mynd ar eu cyfyl heb iddynt ein gweld. Gan fod digon o goed o gwmpas y lle y byddai hogiau Penrhyn yn sgota ynddo, yr oedd gennym rywle i guddio, a haws oedd eu dal hwy felly.

Treuliais oriau lawer ar waelod afon Glaslyn yn ystod yr Ebrill hwnnw. Erbyn diwedd y mis, roedd y pysgod wedi mynd yn ôl i'r môr ac roedd pysgod ffres wedi dod i'r afon. Symudai'r sgotwyr i fyny ar eu holau, gan adael dim ond ychydig iawn yn sgota'r rhan isaf yma ar ôl diwedd Ebrill.

Sgotwyr afon Glaslyn

Gan fy mod yn treulio cymaint o amser yn y rhan hon o'r afon, deuthum i adnabod llawer iawn o'r sgotwyr yn dda.

Byddai pedwar sgotwr gyda'i gilydd bob amser. Y pedwar oedd: Robin Jointar (a oedd yn jointar gyda'r cwmni ffôn), Dafydd Ensor (crydd), Idwal Humphries (gweithiwr gyda Chyngor Dosbarth Porhmadog) a Caleb (dyn a weithiai ar y rheilffordd). Cawn hwyl bob amser yng nghwmni'r pedwar yma. Byddent yn tynnu ar ei gilydd drwy'r amser ac yn enwedig ar Robin pan fyddai'n bachu sgodyn. Am ryw reswm, pan fachai Robin sgodyn ar y Traeth, fyddai o byth yn weindio'r sgodyn i'r lan, yn hytrach, byddai'n bacio yn ôl bob amser hyd at bymtheg neu ugain llath weithiau nes bod y sgodyn i'w weld yn swalpio ar y tywod. Yna, gollyngai ei enwair a rhedeg nerth ei draed i gael gafael ar y sgodyn rhag ofn iddo ddod yn rhydd a swalpio'n ôl i'r dŵr. Welais i erioed un yn dianc o'i afael oherwydd cyn rhoi'r enwair i lawr a dechrau rhedeg, mi fyddai Robin wedi halio'r sgodyn bedair neu bum llath oddi wrth lan yr afon.

Clywais Caleb yn dweud unwaith fel yr oedd wedi mynd i lawr i'r Traeth un diwrnod a chyfarfod gŵr a elwid yn Twm Teiliwr. Yn ôl Caleb, roedd y Twm yma yn ddyn digon blin, ac ni wnâi unrhyw beth ag unrhyw un ar yr afon. Pe bai Twm yn sgota yn rhywle a rhywun arall yn dod at ei ymyl, byddai'n codi'i bac ac yn symud i le ar ben ei hun — doedd ganddo ddim eisiau cwmni, ac felly y mynnai fod. Beth bynnag, yn ôl Caleb, roedd Twm y diwrnod hwnnw wedi llwyddo i fachu llo bach yn ei drwyn ac, wrth gwrs, mae'n dipyn haws rîlio sgodyn atoch na rîlio llo! Yn ôl yr hanes gwelwyd dipyn o sgarmes! Rhedodd Caleb yno a llwyddodd i ddal y llo a thynnu'r bachyn o'i drwyn. Aeth Caleb â'r bachyn yn ôl i Twm, a oedd yn sefyll yn ei unfan gan ddweud dim. O ganlyniad i'r sgarmes wyllt, roedd genwair yr hen Dwm wedi torri yn ei hanner. Rhoddodd Caleb y bachyn iddo, a gofynnodd,

'Ydach chi'n iawn, Tom?'

Cipiodd Twm y bachyn, yna troi ar ei sawdl, ac wrth ddechrau cerdded tuag adref, dywedodd,

'Yndw. Mae'n siŵr y dywedi di wrth bawb yn gwnei y diawl,' ac i ffwrdd â fo.

Chwerthin wnâi Caleb wrth adrodd y stori, gan ddweud,

'Dyna'r unig ddiolch gefais i ganddo, a wyddoch chi be hogia, wnes i ddim dweud wrth neb chwaith.'

Hogiau dal gwyniadau oedd y pedwar yma ac ar ôl mis Ebrill, byddai Robin a Dafydd yn mynd yn weddol gyson i fwlch Aberglaslyn, Caleb ambell dro, ond welais i erioed Idwal yno. Dyn y Traeth oedd Idwal ac yn aml iawn dim ond fo a welwn ar y Traeth drwy'r haf.

Fel y dywedais, hogiau dal gwyniadau oedd Dafydd a Robin. Arferent ddal pysgod o tua hanner pwys i fyny hyd at tua phum pwys, ond un diwrnod fe fachodd Robin Jointar eog enfawr yn Llyn y Gorad, Aberglaslyn. Safai Robin ar garreg fawr ym mhen uchaf y llyn, a'r sgodyn yn ymladd am ei fywyd yn y dŵr oddi tano. Roedd Dafydd Ensor wedi gollwng ei enwair, rhuthro at y gaff ac wedi mynd i sefyll reit ar lan yr afon, dipyn yr ochr isaf i Robin, gan ddisgwyl am gyfle i gaffio'r eog i'r lan. Wedi i'r sgodyn ymladd yn galed a methu â dod yn rhydd, daeth i'r wyneb, gan lithro ar ei hyd i gyfeiriad Dafydd. Rhoddodd Dafydd y gaff y tu ôl i'r sgodyn a rhoi andros o blwc, gan feddwl ei dynnu i'r lan. Ond doedd annel yr hen Ddafydd ddim yn gywir iawn ac yn lle gaffio'r sgodyn, mi gaffiodd lein Robin ac wrth gwrs, wedi rhoi'r ffasiwn blwc fe dorrodd y *gut* a llithrodd yr eog mawr yn ôl i ddyfnderoedd Llyn y Gorad. Wyddai Dafydd ddim beth i'w wneud, yn enwedig wrth wrando ar Robin yn ei ddamio a'i ddiawlio i'r cymylau.

Yr oeddwn yn adnabod Dafydd Ensor ers ymhell dros ugain mlynedd, nid yn unig ar yr afon ond hefyd yn ei weithdy ym Mhorthmadog. Anghofia' i fyth y diwrnod hwnnw, dyna'r unig dro imi weld Dafydd yn edrych yn ddigalon. Gwenu fyddai o bob amser, ac nid gwên ffals chwaith, oherwydd byddai'r wên yn ei lygaid hefyd.

Erbyn hyn, mae'r pedwar cyfaill yma wedi 'croesi'r afon' am y tro olaf, ac wrth eistedd yn y fan yma'n cofio amdanynt, mae rhyw hiraeth mawr yn codi arnaf. Dywed y gân 'Rhaid colli cyn gweld gwerth' ac mae hynny'n wir yn eu hachos hwy.

Cynefin y Cipar

Gan fod Emrys a minnau'n byw gyda'n gilydd efo Mam a Dad, roedd yna rhyw fath o gystadleuaeth rhyngom i weld pwy fyddai'n llwyddo i gael y nifer mwyaf o adroddiadau i'w gyrru i'r swyddfa gyda'r daflen amser ar fore Llun. Gallwch fentro felly y byddai'n beryg bywyd cael copsan yn gwneud rhywbeth o'i le gan y byddai'r enw'n siŵr o fynd i'r 'llyfr bach'.

Ni chredaf i Emrys fy nghuro erioed, ond i fod yn deg ag o, roedd gennyf fantais go fawr. Canlynai fy afonydd i y ffordd fawr fwy neu lai, a gallwn weld beth oedd yn digwydd wrth deithio yn ôl ac ymlaen. Ond roedd Emrys yn gorfod cerdded i afonydd Dwyfor, Dwyfach, Erch a Rhydhir yn ogystal â Soch a Daron yn Aberdaron. Gan fy mod yn gweld yr afon o'r ffordd, roedd yn amlwg fod yr ymwelwyr yn ei gweld hefyd a byddent yn stopio i gael rhyw gynnig bach. Mi fyddwn innau yn dod, ac felly fe lenwai'r llyfr bach yn sydyn iawn.

Cymryd eu siawns yn aml fyddai llawer ohonynt, a'r esgus dros fod heb drwydded fel arfer oedd,

'*I thought I could get one from you,*' neu '*Why don't you put signs up informing people that a licence is necessary?*'

Wrth gwrs, yr oedd digon o arwyddion, ond fydden nhw fyth yn eu gweld.

Rwy'n cofio un dyn yn mynd yn ffiaidd iawn â mi am

nad oedd arwyddion. Dywedais wrtho fod yna ddigon o arwyddion ond doedd o heb weld yr un.

'*Look at that tree behind you,*' dywedais wrtho. Mi drodd, ac yno, lai na phum llath o'r fan ble safai, yr oedd arwydd ar y goeden:

'*Private, Glaslyn Angling Association. Members Only.*'

Rhoddodd hynny daw ar ei geg. Doedd ganddo ddim esgus o gwbl wedyn, a rhoi ei enw a'i gyfeiriad yn y llyfr fu'r hanes.

Aeth y tymor cyntaf heibio yn sydyn iawn. Dysgais dipyn go lew am yr ardal yr oeddwn yn ei chipera, a deuthum i adnabod llawer o gymeriadau newydd. Os bu i rywun gerdded erioed, coeliwch chi fi, mi gerddais y tymor hwnnw. Nid fy mod heb gerdded y blynyddoedd wedyn cofiwch, ond y tymor cyntaf hwnnw roedd yn rhaid cael hyd i'r llynnoedd, ac ar aml i ddiwrnod byddwn yn cychwyn o'r tŷ gyda fflasg a brechdan mewn bag a map yn fy llaw ac i ffwrdd trwy'r dydd. Wyddwn i ddim am y llwybrau ar y dechrau, felly dilyn afonydd bychain fyddwn i, i fyny ymhell i'r mynyddoedd. Wedyn y deuthum i adnabod y llwybrau ac roedd y rheiny'n byrhau siwrne i fyny'r mynydd.

Dyma'r ardal yr oeddwn yn ei chipera: afon Glaslyn ar ei hyd a thair afon arall sy'n dod iddi hefyd, sef afon Croesor, afon Hafod Garegog ac afon Colwyn; afon Dwyryd ar ei hyd a dwy afon arall sy'n dod iddi, sef afon Cynfal ac afon Teigl; afon Glyn, yn rhedeg o ran isaf afon Dwyryd i fyny i gyfeiriad Llandecwyn; afon Artro ar ei hyd ac afon Nantcol, sy'n rhedeg iddi.

Dyma'r llynnoedd: ym mhen uchaf y Glaslyn roedd Llyn Teyrn a Llyn Llydaw yn ogystal â Llyn Glaslyn yng nghysgod yr Wyddfa. Nid oedd pysgod yn Llydaw na Glaslyn ond mi fûm i fyny i'w gweld. Buom yn rhoi mag eog yn Llyn Teyrn ac yn ceisio eu magu yno. Llwyddwyd i'w magu, ond bob tro y ceisiem eu rhwydo, byddem yn cael llond y rhwyd o fwd du, ac felly rhoddwyd y gorau i fynd yno.

Yn y mynyddoedd rhwng Nant Gwynant a Blaenau Ffestiniog yr oedd amryw o lynnoedd, gyda phedwar ohonynt yr adeg honno gan Glwb Pysgota'r Glaslyn, sef Llagi, Cŵn, Adar ac Edno. Llyn yr Adar oedd y llyn uchaf ble'r oedd pysgod yn cael eu dal rwy'n credu. Roedd y llyn hwn tua deunaw cant o droedfeddi uwchlaw'r môr, os y cofiaf yn iawn, ac roedd gwaith cerdded am tua awr er mwyn cyrraedd ato.

Yna, roedd llynnoedd eraill heb bysgod ynddynt, sef Llyn y Biswael a dau Lyn Cerrig y Myllt. Mi fûm at y rhain hefyd ar y dechrau.

Llynnoedd Clwb Pysgota'r Cambrian oedd wedyn yn yr ardal hon, sef llynnoedd Cwm Foel, Cwm Corsiog, Diffwys, Conglog a Chwmorthiñ. Mae llynnoedd Stwlan a Thanygrisiau yn rhan o Gynllun Dŵr Tanygrisiau, a chan fod y dŵr yn symud yn ôl ac ymlaen o Stwlan, nid oes hawl sgota yno. Yr adeg honno doedd Llyn Tanygrisiau'n fawr o gop beth bynnag. Wedyn, ar ôl i'r Bwrdd Cynhyrchu Trydan ddechrau magu pysgod yn Nhrawsfynydd a stocio'r llyn, daeth Tanygrisiau yn adnabyddus am ei bysgod.

Ar Fwlch Gorddinan (neu'r Crimea) ceir tri llyn, sef Llyn y Ffridd ar yr ochr chwith i'r ffordd wrth fynd i fyny heibio'r Gloddfa Ganol, ac yna'r ddau Lyn Barlwyd i fyny yn y mynydd ar yr ochr dde.

Yn uchel i fyny wrth ochr Manod Mawr mae Llyn Manod ac yn uwch i fyny, Llyn Dubach. Yn yr un ardal mae Llyn Newydd a Llyn Bowydd.

Heibio Pont yr Afon Gam i fyny ar y Migneint mae Llynnoedd y Morynion, Dubach y Bont a'r ddau Lyn Gamallt.

Uwchben Maentwrog mae Llyn Mair a Llyn Garnedd Isaf. Penhwyaid (*pike*) oedd yn y ddau yma. Yna wrth droed y Moelwyn Mawr roedd Llyn Garnedd Uchaf. Wn i ddim beth yw hanes hwnnw heddiw, gan i'r Comisiwn Coedwigaeth ei wagio, ac ni fu dim yno wedyn.

Mae gan Glwb Pysgota Talsarnau lynnoedd yn y mynydd rhwng Culfor a Harlech. Uwch Culfor mae Llyn Tecwyn Isaf a Llyn Tecwyn Uchaf, Llyn Llennyrch a Llyn Caerwych, Eiddaw Mawr ac Eiddaw Bach i fyny wrth droed y Graig Ddrwg, a Llyn Fedw uwchben Harlech.

Ceir hyd i Lyn Eiddaw Bach wrth ochr y llwybr sy'n mynd gyda'i waelod, ac yr ydych ar ei ben bron cyn ei weld. Rwy'n cofio mynd i fyny yno rhyw brynhawn braf ynghanol yr haf a dod ar draws dyn a dynes yn ymdrochi'n noethlymun, dim ond ychydig lathenni oddi wrth y llwybr! Ddaru'r dyn ddim cynhyrfu rhyw lawer, ond am y ddynes, wel am banig! Trodd ei chefn tuag ataf ac allan o'r dŵr â hi ar ras heibio i'w dillad, a oedd ar y lan, ac i guddio y tu ôl i rhyw gerrig, bron ym mhen draw'r llyn. Roeddwn yn pitïo nad oeddynt yn sgota oherwydd efallai na fyddai ganddynt drwydded, ac felly byddai'n rhaid i'r ddynes ddod yn ei hôl er mwyn i mi gael rhoi ei henw yn y llyfr bach, ac fel rhyw fonws bach, byddwn wedi cael gwell sbec arni!

Roedd tri llyn arall, sef Llyn Artro Dam yng ngwaelod Cwm Nantcol, Llyn Cwm Bychan ym mhen ucha'r Artro, a Llyn Cowlyn yn y mynyddoedd uwch ei ben.

Welais i mo'r ardal hon i gyd yn ystod fy nhymor cyntaf ond fe welais y rhan fwyaf ohoni, ac ar wahân i gipera'r rhain, roedd yn rhaid mynd i roi cymorth i Emrys ym Mhen Llŷn, Ivor Hughes yn Nolgellau a Bill Bayliss yng Nghaernarfon. Hefyd, bob rhyw bythefnos neu dair wythnos roeddwn yn gorfod mynd i gynorthwyo'r Pencipar, Emrys Price, a'i giperiaid i rwydo Llyn Drynogydd ar ben Bwlch Gorddinan ble'r oedd 12,000 o *fry* eog yn cael eu plannu bob blwyddyn ar gyfer afonydd Conwy a Lledr ac roedd yn rhaid gwneud rhywbeth gyda hwy o hyd megis eu cyfrif, eu mesur a chymryd cennau *(scales)* oddi ar eu hochrau i'w hastudio o dan y microsgop. Fel arfer, byddai rhai cannoedd i'w gwneud. Gwelais mewn un diwrnod gael 1240 mewn un siot or rhwyd ac roeddem wedi rhoi rhyw ddwy siot cyn hynny. Y diwrnod hwnnw, roedd Dr Jones a Christine Barr, neu 'Dusty' fel yr oedd pawb yn ei galw, yno o Brifysgol Lerpwl ac roedd yn rhaid mesur a chymryd cennau oddi ar bob un o'r pysgod ar gyfer y ddau yma. Bûm yno am oriau, ac roedd pob un ohonom ni'r hogiau wedi cael llond bol.

Deorfa Pentrefelin

Dywedais eisoes mai paratoi'r ddeorfa bysgod ym Mhentrefelin oedd y gwaith yn ystod y gaeaf cyntaf, a chyn gynted ag yr oedd y tymor sgota drosodd, rhaid oedd gorffen y ddeorfa. Doedd dim angen gwneud fawr mwy na gofalu bod y dŵr yn rhedeg drwyddi yn iawn, ac ychydig o fanion eraill er mwyn ei gwneud yn barod i ddal yr wyau a oedd i ddod. Dim ond dal y pysgod a'u godro oedd ei angen. Dim ond dal y pysgod ddywedais i! Heddiw, mae'n bosib cael cymorth peiriant i roi sioc drydan, ond doedd gan Emrys a minnau ddim cymorth felly yn ystod y tymor cyntaf hwnnw.

Byddem yn dal y pysgod i'w godro pan oedd lli yn yr afon ddiwedd Hydref a Thachwedd. Gallai'r pysgod fynd i fyny'r ffosydd gan fod digon o ddŵr ynddynt. Ni fyddent yn aros yn hir iawn yn y ffos, dim ond am ddigon o amser i gladdu'r wyau yn y gro, ac yna yn ôl i'r afon fawr â nhw.

Nid oedd prinder pysgod yr adeg honno fel y mae hi heddiw. Y peth cyntaf fyddem yn ei wneud ar ôl cyrraedd y ffos oedd cerdded ar ei hyd o'r lle yr oedd yn mynd i'r afon fawr, er mwyn cael gweld a oedd pysgod yn claddu ynddi. Wedi canfod pysgod byddem yn gosod rhwyd yn is na'r pysgod, rhwyd a elwir yn *bagnet*. Roedd gan y rhwyd geg go fawr ac yna bag tua deg troeddfedd o hyd. Unwaith yr oedd sgodyn wedi mynd i waelod y bag, roedd y bag yn rhy gul iddo allu troi yn ei ôl. Pan oedd sgodyn yn y rhwyd, yr oeddem yn ei thynnu i'r lan ac yn agor ei gwaelod i gael y sgodyn allan.

Ar ôl gweld y pysgod a gosod y rhwyd, byddai Emrys a minnau'n mynd i fyny'r ffos yn uwch na'r sgodyn uchaf yr oeddem wedi ei weld ac yna'n mynd i mewn i'r ffos ochr yn ochr, gan ysgwyd y dŵr gyda'n traed a chyda ffyn a gweithio ein ffordd i lawr at y rhwyd. Byddai'r ceiliogod yn ei sgrialu hi i lawr ar eu pennau eu hunain, ond peth arall oedd cael iâr i lawr, a honno'n llawn o wyau. Wedi dod i mewn i'r ffos i gladdu ei hwyau oedd yr iâr ac nid oedd am adael y nyth ar chwarae bach. Hanner cyfle oedd yr iâr ei eisiau ac fe âi i fyny'r ffos yn hytrach na mynd i lawr. Lawer tro byddai'r iâr yn mynd heibio, ac yna roedd yn rhaid ailddechrau. Ambell dro byddem yn methu gweld yr iâr wedyn. Cuddiai yn rhywle, ac ni wnâi symud am bris yn y byd.

Cofiaf li mawr yn yr afon un diwrnod, a dŵr da mewn ffos fechan iawn wrth ymyl y ffordd yn Nant Gwynant. Roeddem yn cael ambell i sgodyn yn y ffos honno, ond y diwrnod hwnnw, gan fod digon o ddŵr ynddi, cyn gynted ag y bu inni ddechrau ei cherdded, gwelsom fâr o bysgod tua saith neu wyth pwys, ochr yn ochr mewn tua phum neu chwe modfedd o ddŵr. Fe'n synnwyd o weld pysgod mor fawr mewn ffos mor fach. Mewn rhai lleoedd, nid oedd y ffos yn ddigon llydan i ganiatáu i Emrys a minnau gerdded ochr yn ochr. Heb gynhyrfu'r pysgod, dyma osod rhwyd yr ochr isaf iddynt ac yna cerdded i fyny'r ffos. Wel, am bysgod oedd ynddi! Roedd pysgod i'w gweld yn claddu ar ei hyd, a rhai o'r rheiny yn bysgod pedwar a phum pwys.

Gwelsom gyfle am helfa dda. I mewn i'r ffos â'r ddau ohonom gan ysgwyd y ffyn a chicio ein traed fel dau ddyn gwallgo, ac yna gwneud ein ffordd i lawr y ffos i gyfeiriad y rhwyd.

Wrth fynd i lawr y ffos, gwelsom y pysgod yn mynd o'n blaenau. Wn i ddim faint oedd yno — ugain neu ddeg ar hugain, mwy efallai. Cyrraedd y rhwyd, y ddau ohonom yn wlyb domen, a rhuthro i gau ei cheg rhag ofn i bysgod ddianc, cyn codi'r rhwyd o'r dŵr. Cawsom siom fawr, doedd dim un sgodyn ynddi. Gan ein bod wedi anghofio clymu'r gynffon, roedd y pysgod wedi nofio drwy'r rhwyd ac yn ôl i Lyn Gwynant o'n gafael. Gallwch ddychmygu'r awyrgylch oedd yno rhwng y ddau frawd. Y naill yn beio'r llall am nad oedd wedi gofalu clymu'r rhwyd. Ni fu fawr o Gymraeg rhyngom am oriau.

Gwaith caled iawn oedd dal y pysgod heb y peiriant sioc drydan, a byddwn wedi blino'n lân lawer i noson.

Fel y dywedais, pan oedd lli yn yr afon y byddem ni'n dal y pysgod yma, ac yn aml iawn fe fyddai'n glawio. Rhwng y glaw a cherdded y ffosydd, yr oeddem, fel arfer, yn wlyb at ein crwyn. Moto-beics oedd gennym, a byddai'n rhaid cario'r gêr i gyd ar y rheiny.

Gwaith gweddol hawdd oedd godro'r pysgod unwaith y byddem wedi eu dal. Gan ein bod yn eu dal ar y claddfeydd, byddai'r ieir yn gwbl barod i ollwng yr wyau. Byddem yn gafael yn y gynffon gydag un llaw, yna'n dal yr iâr uwchben dysgl blastig, a dod â'r llaw arall i lawr ei bol i gyfeiriad y gynffon, a byddai'r wyau yn diferu i'r ddysgl. Os nad oedd yr wyau'n dod yn rhwydd, doedd dim pwrpas eu gorfodi a gwell fyddai rhoi'r iâr yn ôl a gobeithio y byddem yn ei chael eto pan oedd yn fwy aeddfed.

Wedi cael yr wyau i'r ddysgl, byddem yn gwneud yr un peth gyda'r ceiliog, ac yn godro ei laeth ar ben yr wyau. Wedyn, byddem yn rhoi rhyw dro bach iddynt ac ychwanegu dipyn o ddŵr ar eu pennau, dim gormod, ond digon i orchuddio'r wyau. Eu gadael wedyn am ychydig o funudau iddynt gael setlo, ac yna golchi'r llaeth o'r ddysgl a chadw'r wyau mewn dŵr glân mewn bag plastig a mynd â hwy i'r ddeorfa. Mi wnâi un ceiliog amryw o ieir os oedd yn un da a digon o laeth ynddo. Ni fyddem yn godro mwy o laeth nag oedd ei angen, gwell oedd rhoi'r ceiliog yn ei ôl at y tro nesaf.

Roedd cafnau yn y ddeorfa, ac ym mhob cafn roedd pum padell rhyw droeddfedd sgwâr. Roedd y padellau yma'n llawn o dyllau mân er mwyn i'r dŵr gael llifo drwyddynt, oherwydd rhaid oedd cael dŵr llifeiriol i fagu'r pysgod.

Rhyw bum mil o wyau a roddid ym mhob padell yr adeg honno. Deallwn mai pedair mil o wyau oedd mewn peint o wyau gwyniadau a chan fod wyau eog yn fwy, rhoddwyd tair mil i bob peint. Erbyn heddiw, ceir dull newydd o gyfrif yr wyau; mewn litrau y maent yn eu mesur ac mae'r cyfrif yn agos iawn at ei le.

Byddem wrthi am oriau yn ceisio dal y pysgod, ac ar ôl cael dipyn o wyau, i ffwrdd â ni ar y moto-beics am y ddeorfa, ac yna adref. Cyrraedd adref wedi iddi dywyllu yn aml iawn, yn wlyb domen, wedi blino ac yn llwglyd. Doedd dim llawer o amser hamdden i'w gael. Newid dillad, cael llond bol o fwyd, ac yna i ffwrdd â ni wedyn i chwilio am botsiars yn lampio.

Gwelem olion potsiars, sef wyau pysgod ar y lan ger yr afonydd yn aml iawn yr adeg hon o'r flwyddyn. Byddai'r potsiars yn bachu neu'n sticio'r pysgod gyda

thryfer ac yna llifai'r wyau ohonynt hyd y lan.
Gwernydd, Llanfrothen oedd un o'r lleoedd gwaethaf
ble gwelwyd hyn. Gwelais wyau lawer gwaith yn y
Ceunant Sych ger Blaenau Ffestiniog, yng Nghwm
Pennant, Pantglas ac ar afon Erch a'r Rhydhir hefyd.
Pan fyddwn yn gweld yr wyau yma, poenwn lawer, gan
fynd yn fwy penderfynol o ddal y rhai a oedd wrthi.
Gan fod Emrys a minnau'n ddibrofiad yr adeg honno,
byddem fel ffyliaid yn ceisio ei dal hi ym mhob man, yn
hytrach nag aros mewn un lle ar y tro. Wrth i'r
tymhorau fynd heibio, arhosem mewn un lle ac yn aml
iawn deuai rhywun yno a chael ei ddal ar ôl wythnos o
wylio bob nos efallai. Wedi inni ddal rhywun, yna
byddai siawns y câi'r lle lonydd am sbel, gan roi cyfle
inni wylio yn rhywle arall.

Chwe diwrnod yr wythnos oeddem ni i fod i weithio,
ond am ddau fis o ganol mis Hydref tan ganol Rhagfyr,
byddem yn gweithio saith niwrnod. £12.50 yr wythnos
oedd y cyflog, a dim sôn am dâl ychwanegol neu
ddiwrnod yn lle'r hwn yr oeddem wedi ei weithio. Ond
doeddem ni ddim yn poeni am hynny chwaith; yr
oeddem allan am fod y gwaith wedi mynd i'n gwaed a
ninnau'n ofni aros gartref rhag colli rhywbeth.

Os oedd llawer o drafferth i'w gael, yna deuai
ciperiaid eraill i lawr i'n cynorthwyo. Cofiaf griw
ohonom yn mynd adref un noson yn fan Emrys Price y
pencipar, ar ôl bod yn disgwyl potsiars am oriau ond
neb wedi dod. Roedd yr un peth wedi digwydd ers
nosweithiau.

'Gwastraff amser eto heno,' meddwn, a dyma Emrys
Price yn dweud,

'Nac oedd hi'n tad, 'dan ni'n gwybod bod pysgod y
fan yma wedi cael llonydd heno.'

Wedi ystyried y peth, yr oedd Emrys Price yn llygad ei le ac ni feddyliais byth wedyn fod beth bynnag yr oeddwn yn ei wneud yn wastraff amser.

Llwyddodd Emrys a minnau i gael 32½ peint o wyau gwyniadau i'r ddeorfa newydd y gaeaf cyntaf hwnnw. Rhyw 130,000 oedd hynny yn ein tyb ni, ond wrth gwrs roeddem yn dal i sôn cymaint o bechod oedd hi ein bod wedi colli'r helfa fawr yn Nant Gwynant. Mae'n siŵr y byddai gennym wyth neu naw peint yn fwy o wyau petaem ni wedi cael honno!

Yn y dechrau, byddem yn godro pob ŵy allan o'r pysgod a oedd yn barod, ond fel yr aeth y 'tymhorau stripio' heibio, daethom i ddeall mai gwastraff amser fyddai stripio iâr oedd â dim ond ychydig o wyau yn sbâr ynddi. Pe byddem yn dal iâr rhyw chwe phwys yn llawn, a honno heb ddechrau claddu, gallem gael pum neu chwe mil o wyau ohoni ac ychydig iawn o ddŵr fyddai efo'r wyau. Ond o ddal yr un iâr a honno bron â gorffen claddu, gydag efallai dim ond rhyw dri neu bedwar cant o wyau ynddi a llawer iawn o ddŵr yn dod allan, byddai trafferth gyda'r wyau hynny am nad oeddynt mor ffrwython am ryw reswm. Yna, byddent yn troi'n wyn ac felly heb 'sefyll i'r tarw', ac nid oedd gobaith iddynt ailofyn wedyn.

Mae sôn am ddŵr ym mol sgodyn yn f'atgoffa o sgwrs a gafodd Llew Osmond a minnau gyda Griffith Roberts, Felin, brawd Wmffra Roberts a oedd yn ffermio fferm Felin, Rhydybenllig ar y pryd. Disgwyl bws i fynd adref yn ôl i Gricieth yr oedd Griffith Roberts, ac fel hyn y dywedodd wrth Llew a minnau,

'Rwy'n cofio sefyll yn fan yma flynyddoedd yn ôl yn siarad efo Dic Morris, Tŷ Cerrig (Dic Morris yn dipyn o botsiar, a dweud y lleiaf) a dyma ni'n gweld clamp o sgodyn wedi marw yn y dŵr yn fan'cw. Oedd raid gan Dic fynd yno i'w nôl, a phan ddaeth â fo i'r lan, doedd yna ddim marc arno fo ac roedd i'w weld yn sgodyn glân. Mi roddodd Dic dwll ym mol y sgodyn efo cyllell, gwneud twll fel twll gaff yntê, a phan wnaeth y twll fe ddaeth rhyw ddŵr melyn o fol y sgodyn. Beth bynnag am hynny, fe aeth Dic â fo a'i werthu yn y *Lion* am bunt — chweugain bob un. Wyddoch chi be hogia, mi rois fy chweugain yn y Beibl Mawr, ac yno y bu am wythnosau. Roedd arna' i gymaint o ofn bod rhywun wedi cael ei wenwyno ar ôl ei fwyta. Chlywais i ddim byd, ond mae'n rhaid bod rhywun wedi ei fwyta.'

Clywais fy nhad yn adrodd ei hanes wedi bod yn sgota yn Llyn Golchi Defaid ar afon Dwyfor ac wedi dal sgodyn pedwar pwys. Mi welodd Dic Morris y bore wedyn a gofynnodd iddo,

'Richard Morris, mi gefais sgodyn pedwar pwys neithiwr. Faint ydach chi'n meddwl ydi ei werth o?' Dic yn ateb,

'Dwn i ddim, fydda i ddim yn cyboli efo rhai cyn lleied!'

Wedi ystyried sut aeaf fu yr un cyntaf hwnnw, mae'n drugaredd mai dim ond 32½ peint o wyau oedd gennym, oherwydd ym mis Ionawr 1963, fe ddaeth yn rhew mawr a bu'n rhewi am wythnosau. Bob dydd, byddai'r dŵr y tu mewn i'r ddeorfa wedi rhewi'n gorn ac nid y tu mewn yn unig chwaith. Ambell fore, roedd y beipen a oedd yn dod â'r dŵr i mewn o afon Cedron hefyd wedi rhewi ac roedd honno'n broblem go fawr i'w datrys. Y tu mewn i'r ddeorfa, byddai o leiaf hanner modfedd o rew ar wyneb y dŵr ac roedd yn rhaid cael gwared â hwnnw bob dydd. Trwy ryw drugaredd, nid oedd yr wyau wedi dechrau deor neu mi fyddem wedi colli'r pysgod bach i gyd.

Rhaid oedd bod yn ofalus iawn wrth dynnu'r rhew oddi ar y padellau ble gorweddai'r wyau. Nid oeddem yn gallu colbio'r rhew a'i dorri oherwydd byddai hynny wedi ysgwyd yr wyau a'u lladd. Y dull a ddefnyddiem oedd rhoi halen o amgylch y tu mewn i'r badell er mwyn i ymyl y rhew ddechrau dadmer, ac wedyn ei dynnu oddi ar wyneb y dŵr. Un diwrnod, roeddem yn methu dadmer y beipen a oedd yn dod â'r dŵr i mewn i'r ddeorfa. Peipen bolythen, tua hanner canllath o hyd oedd hi, ac ar ôl ceisio ei dadmer am oriau, dyma benderfynu ei thorri yn ei hanner a stwffio halen i mewn iddi. Llwyddwyd i gael y dŵr i lifo fel ag yr oedd hi'n tywyllu. Bu'n rhaid gwneud hyn amryw o weithiau wedyn cyn i'r tywydd droi.

Roeddem yn prynu'r halen fesul bloc yr adeg honno, a chredaf yn siŵr petaem wedi cadw cyfrif o sawl bloc a ddefnyddiwyd na fyddai neb yn coelio'r ffasiwn beth.

Pan fydd yr iâr yn cael ei godro, nid yw'r wyau yn hollol grwn. Ar ôl cael eu ffrwythloni â llaeth y ceiliog, mae'r wyau yn chwyddo ac yn mynd yn hollol grwn, yn beli bach pinc. Maent mewn cyfnod a elwir yn *green stage*. Rhaid bod yn ofalus iawn â hwy ar y dechrau fel hyn, oherwydd petaech yn eu hysgwyd yn wyllt, byddai'r cwbl yn troi'n wyn ac yn marw, ac felly'n dda i ddim.

Ar ôl eu cadw am dipyn gwelir dau sbotyn bach du yn datblygu y tu mewn i'r wyau. Llygaid y sgodyn bach ydynt, ac y maent erbyn hyn yn y cyfnod a elwir yn *eyed stage* ac yn haws o lawer i'w trin. Os oes rhywun am brynu wyau pysgod i'w plannu mewn afon neu lyn, dyma'r amser i'w prynu. Gall yr wyau ddioddef cael eu camdrin ychydig yn ystod y cyfnod hwn, a byddai'n rhaid ichi fod yn flêr iawn i'w colli i gyd.

Tymheredd y dŵr sy'n rheoli datblygiad yr wyau. Os yw'r dŵr yn weddol gynnes, gellir cael pysgod bach o fewn rhyw hanner can niwrnod, ond os yw'r dŵr yn oer, rhaid disgwyl llawer hirach. Yr oeddem ar ddeall yr adeg honno mai rhyw 90-95 diwrnod, ar gyfartaledd, fyddai'r wyau yn ei gymryd i ddeor. Yn ystod gaeaf 1963 a'i dri mis oer, fe gymerodd rhai o'r wyau 165 diwrnod i ddeor. Mae'n siŵr gen i mai gaeaf 1963 oedd y caletaf a gawsom ers 1947, pan rewodd ddydd a nos am ddau fis cyfan.

Ar ôl cael yr wyau i'r ddeorfa, a'u gosod yn daclus yn y padellau, yna rhaid oedd tendio arnynt bob dydd. Y peth cyntaf i'w wneud yn y bore oedd glanhau'r cafnau yn lân ac yna, gan ddefnyddio pipéd (pelen rwber a thiwb gwydr rhyw chwe modfedd o hyd) roedd yn rhaid sugno pob ŵy gwyn allan o'r padellau. Nid oedd llawer ohonynt, rhyw un neu ddau yma ac acw, ond roedd yn bwysig cael y rhain allan. Wyau gorllwyd oeddynt, a phe gadewid hwy yn y padellau byddai ffwng yn hel arnynt ymhen rhyw ddau neu dri diwrnod ac yna byddai wyau eraill yn glynu yn y ffwng hyd nes y byddai'r badell yn ffwng i gyd. Mae'n union fel tysan ddrwg mewn sach: o'i gadael yno, buan iawn yr â gweddill y sachaid yn ddrwg.

Ar ôl i'r llygaid ymddangos, gellid ysgwyd dipyn ar y padellau i gael gweld yr wyau'n well.

Pan fyddem yn meddwl bod yr wyau bron â deor, byddem yn codi'r badell o'r dŵr ac yn rhoi sgytfa reit dda i'r wyau. Wrth wneud hyn, byddai pob ŵy gorllwyd yn troi'n wyn gan adael yr wyau oedd am ddeor ar ôl.

Pan ddaw'r sgodyn bach allan o'r ŵy mae yna lwmp o

dan ei fol a elwir yn 'gwdyn melynwy' (*yolk sack*), ac ar hwn y mae'r sgodyn yn byw am sbel ar y dechrau. Weithiau, fe fydd rhyw fath o fag arall yn tyfu dros y cyntaf. *Dropsey* oeddem ni yn ei alw (*blue sack sickness* yw'r enw arno heddiw) a rhaid cael gwared â'r sgodyn hwnnw, neu fe fydd y *dropsey* yma'n byrstio ac yn lledu i'r pysgod eraill. Byddem yn tynnu allan bysgod ag unrhyw nam arnynt hefyd gan nad oedd gobaith iddynt fyw. Yn aml iawn, ceid dau sgodyn yn sownd yn ei gilydd fel efeilliad *siamese* — y ddau yn sownd yn yr un sach — a hefyd gwelais ddau sgodyn bach ar ffurf Y — dau gorff ond dim ond un gynffon. Mae'n siŵr nad oedd ganddynt fawr o obaith byw, ond allan efo'r pysgod eraill y byddent yn mynd.

Bu'r ddeorfa ym Mhentrefelin am tua deunaw mlynedd, ond rhoddwyd y gorau iddi am fod gormod o drafferth yno pan oedd lli yn yr afon. Byddai baw yn dod i lawr ac yn cau y peipiau ac ati. Byddai'n rhaid codi ddwywaith neu deirgwaith efallai yn ystod y nos os oedd lli, i wneud yn siŵr fod y dŵr yn dal i lifo. Gwelais y dŵr yn peidio lawer gwaith, ac unwaith neu ddwy bu panig mawr gan fod y pysgod wedi troi ar eu hochrau, ac felly nid oedd amser i lanhau'r beipen i gael y dŵr i lifo er mwyn iddynt gael ocsigen. Doedd dim amdani ond rhedeg yn ôl ac ymlaen i'r afon hefo bwcedi a thywallt y dŵr i'r cafnau. Fe welais i hyn yn digwydd a thros dri chan mil o *fry* yno a buom yn rhedeg y bore hwnnw hyd nes bod ein tafodau allan ac ni chollwyd yr un sgodyn. Rwy'n credu mai hynny roddodd ben arni. Wedyn, buom yn mynd â'r wyau i ddeorfa Cae Du, Dolwyddelan am mai dŵr yn codi o'r ddaear sydd yn y fan honno felly does dim ots faint o li sydd yn yr afon, mae'r dŵr hwnnw yn lân bob amser.

Trafferthion Llyn Dinas

Cyn i Lyn Tanygrisiau ddod yn enwog am y pysgod a gaiff eu dal ynddo, rwy'n meddwl mai Llyn Dinas ar ochr y ffordd rhwng Beddgelert a Nant Gwynant roddodd fwyaf o drafferth i mi. Roeddwn yn cael ychydig o drafferth gyda Llyn Gwynant hefyd, sydd ar y ffordd i Ben y Gwryd rhyw filltir oddi wrth Lyn Dinas. Mae'n siŵr gen i mai'r rheswm am hyn oedd am fod mwy o sgotwyr yn dod i Lyn Dinas, ac felly'n dynfa i sgotwyr eraill.

Ceir pedair cilfach barcio (*lay-by*) ger Llyn Dinas, ac wrth gwrs, gan fod yr ardal mor hardd, bydd cannoedd o bobl yn aros i dynnu lluniau a chael picnic a ballu. Yn aml iawn hefyd bydd yr enwair yn dod allan i gael rhyw gynnig bach, ac ar yr adegau hynny byddwn innau yn dod heibio a'u dal, a chael eu henwau yn y llyfr bach. Pe bawn i ond yn cael punt am bob tro y dywedais,

'*Name, address, date of birth and occupation, please.*'

Credaf fy mod wedi dweud hynny gannoedd o weithiau; gofynnais hyn tua phedair ugain gwaith yn ystod y flwyddyn gyntaf yn unig.

Yn aml iawn, dim ond *permit* fyddai wedi'i phrynu. Pan fydd rhywun yn prynu *permit*, talu am hawl gan y perchennog i gael caniatâd i sgota yn y llyn am gyfnod o ddiwrnod, wythnos, mis neu dymor y mae. Does a wnelo'r *permit* ddim oll â'r drwydded i ddefnyddio'r enwair. Mae hyn yn union yr un fath â phetai rhywun yn cael caniatâd i saethu ar dir ffermwr arbennig, ond heb fod ganddo drwydded i ddefnyddio'r gwn.

Ar wahân i'r cytiau cychod oedd ar Lyn Dinas yr adeg honno, dim ond un gŵr a ddaliai'r hawl i bysgota oddi amgylch y llyn i gyd. Ar rent oedd y llyn ganddo, ac mae'n siŵr ei fod yn gorfod talu cryn dipyn amdano, felly gwerthai'r *permits* i'r sgotwyr er mwyn cael ei bres yn ôl. Doedd dim amheuaeth y gwnâi dipyn o elw hefyd, os oedd hynny'n bosib. Fel arfer, byddwn yn anfon y sgotwyr yma i nôl trwydded ganddo ond byddai rhai ohonynt yn mynd yn gegog ac yn dweud nad oeddynt am fynd. Ni chymerwn unrhyw lol ganddynt am fy mod yn teimlo imi fod yn ddigon teg â nhw, ac felly i'r llyfr bach yr âi'r enwau a hwythau wedyn yn gorfod mynd o flaen eu gwell. Er imi fynd at y perchennog a gofyn iddo ddweud wrth y sgotwyr bod angen y drwydded yn ogystal â'r *permit*, ni wellodd pethau o gwbl.

Un diwrnod, wedi imi ddal tua hanner dwsin o'r sgotwyr *permits only* yma ac ar ôl gyrru'r cwbl i nôl trwydded, euthum i weld y perchennog eto. Ceisiais egluro wrtho beth oedd yn digwydd a faint o golled oedd hyn i'm cyflogwr. Dwedodd nad oedd raid iddo ddweud bod angen trwydded efo'r *permit* gan fod hynny wedi'i nodi'n ddigon eglur ar y *permit*. Roedd hyn yn hollol gywir wrth gwrs, ond faint ohonom sydd yn prynu tocyn ar gyfer rhywbeth ac yn darllen pob gair sydd arno? Fel arfer, prynu'r tocyn a'i bocedu ar ôl sylwi ar y prif fanylion a wnawn. Gan ei bod hi'n amlwg nad oedd y gŵr am fod o gymorth i mi, dywedais wrtho,

'Mae gennych lawer iawn o bobl yn sgota Dinas ac

mae rhai ohonynt yn bobl neis iawn. Ond os bydd rhywun yn sgota'r llyn heb drwydded, yr wyf am gymryd ei enw.'

Ac felly y bu hi hefyd. Daliais ddegau ohonynt ac aeth eu henwau i gyd i'r llyfr bach. Ar bob adroddiad a yrrais i'r swyddfa roeddwn wedi nodi — *'It is clearly stated on the permit that a River Board licence is necessary.'*

Wrth gwrs, byddai'r geiriau hyn fel rhoi hoelen mewn arch. Fe aeth pob un y rhoddais ei enw yn y llyfr bach ac a yrrais fanylion amdano i Gaernarfon o flaen ei well ym Mhorthmadog. Caent ddirwy o £3 fel arfer, gyda £3-3-0 (neu £3.15) o gostau i'r Bwrdd Dŵr ar ben hynny. Roedd yn arw gennyf am lawer iawn o'r sgotwyr yma, ond dyna fo, dyna oedd fy ngwaith — gofalu am yr afon, a gofalu nad oedd neb yn sgota heb drwydded oedd un ddyletswydd. Gan fy mod i fy hun yn gorfod talu am drwydded, yna roedd hi'n iawn i bawb arall dalu am drwydded hefyd, a chan fod cymaint o sgota heb drwydded yn digwydd, rhaid oedd rhoi stop arno rhywsut.

Mae'n siŵr gen i fod gan yr ynadon gryn gydymdeimlad â'r sgotwyr *permits* hefyd, ac un diwrnod, ar ôl cosbi rhyw hanner dwsin, dyma nhw'n gofyn i mi fynd i weld y perchennog a gofyn iddo nodi'n glir bod angen trwydded. Atebais innau fy mod wedi galw i'w weld ond nad oedd hynny wedi gwneud unrhyw wahaniaeth. Gofynnodd y Cadeirydd i mi a fyddwn yn mynd i'w weld eto, a dweud wrtho mai'r ynadon oedd wedi fy anfon. Mi wnes fel y gofynnodd, ac ar ôl hynny, chefais i fawr o drafferth efo'r sgotwyr *permits only.*

Cofiaf fynd i Lyn Dinas un prynhawn a chyfarfod â

dyn yn sgota darn isaf y llyn. Dyn golygus a edrychai fel gŵr bonheddig. Roedd yn holi hyn a'r llall am y llyn, pethau fel ble'r oedd y mannau gorau i'w sgota ac yn y blaen. Bûm yn sgwrsio ag ef am sbel ac yna, cyn ymadael, gofynnais iddo am gael gweld ei drwydded.

'*Yes, certainly,*' meddai'r gŵr gan estyn ei waled a rhoi'r drwydded i mi. Wrth arwyddo fy enw ar ochr dde'r drwydded, sylwais fod y dyddiad yn edrych fel petai wedi cael ei newid. '*29th July*' oedd y dyddiad arni a thybiais fod y rhif dau wedi ei newid. Ni ddywedais ddim wrtho, ond sylwais mai yn Swyddfa'r Post, Pren-teg yr oedd hi wedi ei phrynu a'r rhif yn un hawdd i'w gofio. Dim ond am eiliad fûm i'n sylwi ar y pethau yma, a phlygais y drwydded a'i rhoi yn ôl i'r dyn, gan ddweud,

'*Thank you very much. I hope you have a nice day,*' ac mi adewais ef.

Cyn gynted ag yr euthum o'i olwg, ysgrifennais y rhif ar gledr fy llaw ac yna, ar y moto-beic â mi i fyny am Lyn Gwynant. Troi yn ôl ar f'union yn y fan honno ac am Swyddfa'r Post, Pren-teg. Gallwn weld y gŵr yn dal i sgota wrth imi fynd heibio i Lyn Dinas.

Gwelais Mrs Roberts yn y Post a gofynnais iddi a gawn weld *counterfoil* y drwydded.

'Cewch yn tad,' meddai, ac estyn y llyfr. A dyna fo ar ddu a gwyn — trwydded wythnosol oedd trwydded y gŵr wedi cael ei gwerthu ar '*19 July*', i ymwelydd a oedd yn aros yn Aberdeunant. Adroddais yr hanes wrth Mrs Roberts, ac i ffwrdd â mi am Lyn Dinas a'r llyfr *counterfoil* gyda mi. Doedd dim golwg o'r sgotwr, yr oedd wedi diflannu. Holais y sgotwyr eraill a oeddynt wedi ei weld.

'*Oh yes, he packed up and left,*' oedd yr ateb.

Gyda'r nos, euthum i wersyll carafán Aberdeunant ac i'r swyddfa yno. Gan fod enw'r gŵr gennyf, wedi imi ei godi oddi ar y *counterfoil*, holais y ddynes a fedrwn gael ei weld.

'O,' meddai'r ddynes, 'tydi o ddim yma. Mi roedd o yma yr wythnos diwethaf ond mae o wedi mynd adref.'

Holais a oedd rhywun yn aros yn yr un garafán yr wythnos honno ac mi ddywedodd fod yna bobl yn aros ynddi. Ddywedais i ddim byd, dim ond holi ble'r oedd y garafán ac mi gefais wybod yn reit ddi-lol.

Gadawais y beic wrth y swyddfa a cherddais i lawr at y garafán a chnocio'r drws. Pwy atebodd y drws ond y gŵr yr oeddwn wedi'i weld yn sgota ger Llyn Dinas. Dywedais wrtho pam yr oeddwn yno, a'r hyn a wyddwn am ei drwydded. Cyfaddefodd y dyn ar ei union mai wedi cael hyd i'r drwydded yn y garafán yr oedd o, a meddyliodd na fyddai neb yn sylwi ei fod wedi newid y dyddiad.

Gyrrais y drwydded gydag adroddiad llawn at y Bwrdd Dŵr, ond yn hytrach na mynd â'r achos yn ei flaen yn enw'r Bwrdd Dŵr anfonwyd yr adroddiad at yr heddlu a hwy ddygodd achos yn erbyn y dyn. Ym Mhorthmadog y bu'r achos. '*Gaining punctuary advantage*' oedd y cyhuddiad ac fe'i cosbwyd £10 — llawer iawn mwy na'r gosb am sgota heb drwydded bryd hynny, a does gennyf ddim cof am unrhyw gipar arall yn cael achos o'r fath.

Roedd gwaelod Llyn Dinas, sef y rhan ble rhed y dŵr i afon Glaslyn, yn lle da iawn am bysgod, yn enwedig ar ôl iddi dywyllu. Am ryw reswm neu'i gilydd, ni chaniateid sgota nos yno gan y perchennog, ond mi wyddwn yn iawn fod yna ddau sgotwr yn mynd yno yn gyson: Wil Lloyd Hughes o'r Waunfawr, a'i bartner — gŵr o'r enw Ruscoe.

Roedd gan y ddau ohonynt drwydded a chan nad oedd a wnelo fi ddim byd â *permit* Llyn Dinas, nid oedd gennyf le i achwyn amdanynt. Yn ôl yr hyn a ddeallaf, yr oedd Wil a Ruscoe wedi cael eu dal yn gwneud rhyw gampau neu'i gilydd ar y llyn, ac felly roedd y perchennog yn gwrthod rhoi caniatâd iddynt sgota yno. Chlywais i ddim beth oedd y campau a wnaethant, ond dwi'n amau'n ddistaw bach mai dal gormod o bysgod oedd eu pechod.

Welais i erioed mo'r ddau yn sgota Llyn Dinas, ac a dweud y gwir, wnes i ddim trio eu gweld. Fe fyddwn yn cael rhif y pysgod i'w rhoi yn fy nghyfrif misol gan Wil. Yr adeg honno, byddai'r ddau yn dal rhwng pedwar ugain a chant o bysgod yr un yng ngwaelod Llyn Dinas yn ystod y tymor yn unig, ac yn aml iawn, yn cael pysgod braf. Gwyniadau oedden nhw wrth gwrs, oherwydd pur anaml y mae eog yn cymryd yr abwyd ar ôl iddi dywyllu. Cofiaf Wil yn dweud wrthyf un tro ei fod wedi dal sgodyn 8¼ pwys ac wedi cymryd dros awr i'w gael i'r lan. Y rheswm pam y bu iddo gymryd cymaint o amser meddai ef oedd,

'Ro'n i wedi ei fachu o yn ei din. Dwi'n gwybod 'mod i i fod i'w roi o'n ôl ond, myn diawl, wedi bod efo fo mor hir, do'n i ddim am ei golli.'

Gwyddai'r perchennog yn iawn fod Wil a'i ffrind yn mynd i sgota'r llyn gefn nos ac fe fyddai'n mynd yno'n aml iawn tua hanner nos i geisio eu dal, ond doedd Wil ddim yno yr adeg honno, roedd hi'n rhy fuan.

Yn y chwedegau, pan oedd stad Tremadog yn gwerthu hawliau sgota afon Glaslyn i'r clwb, doedd gan y clwb ddim digon o arian i dalu, felly i godi arian yn weddol sydyn, fe gynigiwyd tocynnau am oes i sgotwyr. £25 oedd tocyn i unrhyw un lleol a £70 i unrhyw un o'r tu allan. Roedd Wil a Ruscoe wedi prynu tocyn bob un ac felly, roedd y ddau yn aelodau o Glwb Pysgota'r Glaslyn am oes. Yr hyn a fyddent yn ei wneud oedd dod o'r Waunfawr i sgota ar ddŵr y clwb tan tua un o'r gloch y bore, ac wedyn mynd i Lyn Dinas ac aros yno hyd nes y byddai bron â gwawrio. Yna, mynd adref yn ddistaw bach heb i neb eu gweld. Roedd y drefn hon yn gweithio'n gampus oherwydd petaent wedi cael stop ar y ffordd adref a physgod ganddynt, eu hesgus fyddai eu bod wedi bod yn sgota afon Glaslyn. Fyddai neb wedi eu gweld yn Llyn Dinas ond mi allech fentro y byddai Wil yn saff o fod wedi codi sgwrs efo sgotwyr eraill pan oedd yn sgota ar ddŵr y clwb, ac felly byddai tystion yn barod yn rhywle i ddweud eu bod wedi gweld y ddau yn sgota dŵr y clwb.

Pan fudodd y sawl a dalai rent am hawliau sgota Llyn Dinas o Feddgelert, rhoddwyd y gorau i'r llyn ar wahân i gwt cwch a rhyw gornel fach o'r eiddo Hafod y Porth, ac fe gymerodd Clwb y Glaslyn ochr bellaf y llyn ar ei hyd ar rent gan Harri Parry, Llyndu Isaf. Pan fu farw Harri Parry, gwerthodd ei fab, sydd yn byw yn rhywle yn Sir Fôn, yr hawliau sgota i Glwb y Glaslyn, ac felly, roedd y lle yn agored i sgotwyr fynd yno i sgota nos. Gerllaw y llyn yr oedd cilfach hwylus i gadw car a llwybr cyhoeddus yn mynd dros bont newydd sbon a oedd wedi ei hadeiladu dros yr afon yng ngwaelod y llyn. Gwaith dau funud oedd cerdded at y lle yr oeddynt yn cael sgota ynddo. Ond wyddoch chi be? Ychydig iawn o hogiau lleol fyddai'n mynd yno. Byddai ambell un yn mynd wrth gwrs, ond aros yn y lle yr oeddynt wedi arfer bod wnâi'r mwyafrif. I lawr tua Pant Dŵr Oer — fan honno oedd eu lle, a lle eu tadau a'u teidiau o'u blaenau. Mi fyddwn yn dweud wrthyn nhw pa mor dda oedd Dinas ar ôl iddi dywyllu, ond doedd hynny'n gwneud dim gwahaniaeth. Aros yn eu lle y bydden nhw.

Wil Lloyd, Ruscoe, rhyw hanner dwsin o hogiau Caernarfon, ac ambell ymwelydd o'r Waunfawr fyddai'n sgota'r llyn gan amlaf. Wil Lloyd wedi eu hudo yno gyda'i straeon am y pysgod fyddai o'n eu dal, mae'n siŵr.

Byddwn yn crwydro i fyny afon Glaslyn ar ôl iddi dywyllu yn weddol aml. Wrth gwrs, mi fyddwn yn cyfarfod ag ambell sgotwr ar y ffordd i fyny'r afon, ac erbyn imi gyrraedd Llyn Dinas byddai fel arfer yn eithaf hwyr ac wedi tywyllu ers meityn. Byddai sgotwyr ar Lyn Dinas bron bob nos, ac er mai yn y tywyllwch y byddwn yn eu cwrdd, cawn sgwrs â hwy, a deuthum i'w hadnabod yn weddol dda.

Un gyda'r nos, ystyriais mai dim ond yn y tywyllwch yr oeddwn wedi cwrdd â'r sgotwyr yma i gyd, bron. Petawn yn cwrdd â hwy yng ngolau dydd, ni fyddai gennyf syniad pwy a fyddent am mai dim ond eu lleisiau oedd yn gyfarwydd imi. Penderfynais, felly, fod raid imi eu gweld yng ngolau dydd. I fyny â mi i Lyn Dinas a chyrraedd yno dipyn cyn iddi dywyllu. Nid oedd y sgotwyr wedi cyrraedd, a dyma eistedd yn y fan ac edrych dros y llyn i'w disgwyl.

Tra oeddwn yn eistedd yn y fan yn disgwyl, sylwais fod y coed rhododendron ar yr ochr bellaf i'r llyn yn cynyddu yn arw, a rhywsut neu'i gilydd dyma gael y syniad yma am y Saeson sydd yn ymgartrefu yn ein gwlad.

Mae yna gannoedd o Saeson yn y cwr yma o'r byd, llawer iawn ohonynt yn gweithio a llawer wedi ymddeol. Llwyddant i ffitio i mewn i'n cymdeithas, fel blodau o wlad dramor yn ein gerddi, gan eu harddu. Ond onid oes rhai eraill yn meddiannu'r lle ac yn lladd natur y gymdeithas sydd wedi blodeuo yno am ganrifoedd? Rhyw drawsblaniad o wlad dramor oedd y rhododendron ar y cychwyn, ac mae'n ymddwyn yn union yr un fath â Sais sy'n meddiannu'r gymdeithas. Mae'n gwenwyno'r tir o'i amgylch fel na all dim ond y fo a'i fath dyfu ar y tir hwnnw. Y tro nesaf y gwelwch chi Sais yn dod yma i fyw, edrychwch arno megis planhigyn, a cheisiwch benderfynu pa un ai blodyn ynteu rhododendron ydi o.

Do, fe ddaeth y sgotwyr cyn iddi dywyllu, ac mi fu cryn ysgwyd llaw a sgwrsio wrth ddisgwyl y nos. Saeson oedd rhai ohonynt, ond wedi dod i brofi yn hytrach na meddiannu'r lle.

Charles Davies (*Charlie Bus*)

Os bu i rywun ddal eogiaid yn afon Glaslyn erioed, Charles Davies oedd hwnnw. Bu am flynyddoedd yn teithio efo car bach tair olwyn, nid un fel y Robin Reliant sydd i'w gael heddiw, ond rhyw gar bach â dwy olwyn flaen ac un ôl. Car agored oedd o; mae'n siŵr fod *hood* i'w gael i'w dynnu drosto yn do, ond welais i ddim to arno erioed.

Llyn y Gorad yng ngwaelod bwlch Aberglaslyn fyddai hoff le Charlie. Gallai barcio'r car bach ar y palmant uwchben y llyn ac yna edrych i lawr ar y llyn a oedd rhyw bum troedfedd ar hugain islaw y ffordd.

Roedd pwll da iawn wrth ochr y graig pan oedd lli yn yr afon, ac yn y pwll yma y byddai Charlie yn sgota bob amser. Twll Charlie ydi enw'r pwll, ac er bod yr hen ŵr wedi marw ers rhai blynyddoedd bellach, Twll Charlie yw'r enw o hyd.

Ysmygai Charlie dipyn go lew wrth sgota, ac yn aml iawn pan awn ato, un o'r pethau cyntaf fyddai o'n ei ofyn oedd,

'*Lend me a fag.*'

Byddai wedi gofyn yr un peth i amryw o sgotwyr cyn mynd adref. Drannoeth, byddai Charlie yn ôl yn ei dwll a phaced ugain efo fo, ond gan ei fod yn smocio un ar ôl y llall bron, ac yn talu'n ôl am y smôcs a gawsai gan hwn a'r llall, doedd y paced yn para dim, felly byddai'n ailddechrau drachefn gan ofyn,

'Lend me a fag.'

Roedd y twll ble byddai Charlie y sgota yn weddol glir o rwystrau, a phur anaml y collai rhywun ei fachyn yno, er bod angen defnyddio lwmp go fawr o blwm i ddal yr abwyd mewn lle â chymaint o ddŵr ynddo. Hwn oedd yr unig le clir yn y llyn; roedd y gweddill yn rhwystrau byw, ac mae'n siŵr gen i fod yna gannoedd o fachau a thunelli o blwm yn cael eu colli yno bob blwyddyn.

Condyctor bws oedd gwaith swyddogol Charlie, ac roedd yn un poblogaidd iawn hefyd. Parablai yn ddiddiwedd, ac er mai Sais oedd o, gallai rywfaint o Gymraeg a stwffiai ambell air Cymraeg i mewn yma ac acw wrth siarad. Fel rhyw *sideline*, byddai hefyd yn cadw siop fechan ar stryd fawr Porthmadog; siop trwsio pethau trydanol, tshiarjio batris, a gwerthu gêr sgota hefyd. Mae'n siŵr gen i ei fod o'n gwerthu tipyn o gêr sgota am mai dim ond y fo oedd yn gwerthu yn y Port yr adeg honno am wn i. Beth bynnag, pan fyddai Charlie yn sgota yn ei dwll, mi fyddai'n gweld sgotwyr eraill yn mynd yn sownd ac yn colli bachau. Yn wên i gyd fe waeddai ar draws yr afon ar y sgotwyr,

'Good for trade, achan.'

Mwya'n y byd o fachau a fyddai'n cael eu colli, mwya'n y byd a werthai yn ei siop!

Fel y dywedais, yn Nhwll Charlie y byddai'n sgota pan oedd lli, ond rwy'n cofio un haf yn y chwedegau pan oedd y dŵr yn reit isel a dim digon o ddŵr i ddod â'r eogiaid i fyny drwy'r bwlch, ond roedd digon i wyniadau hyd at rhyw bwys a hanner deithio. Ynghanol y rhaedr ar ben y Gorad, roedd pwll a elwid yn Pistyll. Pwll bychan oedd o, wrth ochr carreg gyda dŵr gwyn yn byrlymu i fyny, ac oni bai bod rhywun yn gwybod am y lle, ni fyddai unrhyw sgotwr yn meddwl sgota yno. Ond os oedd y pysgod am fynd i fyny'r afon, byddai'n rhaid iddynt ddod i'r pwll yma pan oedd y dŵr yn isel. Rhaid oedd cael lwmp go lew o blwm i ddal yr abwyd yn y pwll, a gosod y plwm tua wyth neu naw modfedd oddi wrth yr abwyd. Pry genwair fyddai'r abwyd bob amser, wrth gwrs. Gwelais Charlie yn y pwll yma bob gyda'r nos am bythefnos, ac ni ddaeth oddi yno yr un noson heb o leiaf ddeg o wyniadau o hanner pwys i bwys a hanner.

Cofiaf gyrraedd y Gorad un prynhawn. Safai Charlie ar y ffordd a'r enwair yn ei law, yn edrych i lawr i'r Gorad. Roedd o ar ei bensiwn erbyn hyn ac mae'n siŵr nad oedd ei lygaid cystal ag y buont.

'*Nothing here, achan,*' meddai.

Edrychais i lawr at y llyn. Rhyw hanner lli oedd yn yr afon ac roedd yn bosib gweld i mewn i'r dŵr yn o lew. Wedi craffu am sbel, mi welais fod yna ddau sgodyn braf yn gorwedd ochr yn ochr yn y dŵr gwyllt. Roeddynt i'w gweld yn las neis yno, pysgod ffres, newydd ddod o'r môr.

'*There's two there, Charlie,*' meddwn.

'*Where?*' holodd.

Ceisiais fy ngorau i ddangos iddo ble yn union yr oedd y ddau yn gorwedd, ond methodd Charlie â'u gweld. Rhoddodd ei enwair i mi, gan ddweud,

'*Go and catch one for me.*'

Rhoddais bryfed genwair ar y bachyn ac i lawr at lan y llyn â mi. Fedrwn i ddim gweld y pysgod o'r fan hon, ond roedd gennyf syniad go dda ble yr oedden nhw.

Taflais y pryfed genwair dipyn i'r ochr uchaf o ble yr oeddwn yn meddwl imi weld y ddau sgodyn, ac ar y tafliad cyntaf dyma gynnig ei adael i fwyta am dipyn bach. Yna streic — ac roedd o'n sownd. Chwarae'r sgodyn am sbel, ac yna ei rwydo i'r lan. Roedd Charlie wrth ei fodd a chefais goron (25c) ganddo. Wrth roi'r goron imi, dywedodd,

'*Here you are, now try and catch the other one for yourself.*'

Taflais yr abwyd i'r dŵr sawl gwaith wedyn, ond ni ddaeth y llall.

Y diwrnod canlynol, gwelais Charlie unwaith eto yn y Gorad.

'*How much did the fish weigh, Charlie?*' holais, er mwyn cael rhoi ei bwysau yn y llyfr.

'*Ten and a half achan, and Clara Newell only gave me fourteen shillings (70c) a pound for it (£7.35).*'

Cefais fodd i fyw wrth ailadrodd y stori yna, yn enwedig wrth Dic, mab Charlie.

Rhaid peidio ag anghofio chwaith bod Charlie, yn ogystal â bod yn sgotwr peingamp, yn un rhagorol am hel pres at y Bad Achub, ac fe gasglodd gannoedd, os nad miloedd o bunnoedd at yr achos hwn dros y blynyddoedd. Byddai wrthi bron bob dydd yn yr haf o gwmpas harbwr Port efo'r cwch bychan a oedd fel cadw-mi-gei bad achub, yn hel pres gan yr ymwelwyr neu'r bobl leol. Pan fyddai'r hogiau'n rhwydo pysgod yn yr harbwr, byddai torf fawr yn casglu i edrych arnynt, a byddai Charlie yn siŵr o fynd o gwmpas y cwbl i gael ceiniog neu ddwy gan bawb. Yn ystod blynyddoedd olaf ei fywyd, fe âi i Sbaen tua dwywaith y flwyddyn, a phob tro y deuai adref, mi fyddwn yn siŵr o gael paced ugain o *Piccadilly* ganddo. Ni lwyddais i benderfynu pa un ai talu yn ôl am y smôcs yr oedd o wedi eu cael ynteu paratoi ar gyfer y tro nesaf y byddai'n gofyn '*Lend me a fag*' yr oedd o!

Cawell, a sut oedd yn gweithio

Yn ystod y cyfnod cyn imi ddod yn gipar afon, fe glywais yr hen sgotwyr yn sôn am gewyll ac fe fyddai gan bob fferm ar hyd afon Dwyfor ei lle i osod cawell. Efallai bod rhai eraill wrthi yr un fath ar afonydd eraill, ond chlywais i neb yn sôn am gawell dim ond ar afon Dwyfor.

Yn ôl pob sôn, basged oedd y gawell a rhoddwyd eithin ynddi, a'i gosod o dan bistyll yn yr afon yn ystod Ebrill a Mai, fel arfer. Pam o dan bistyll yn ystod Ebrill a Mai meddech? Wel, mae pawb yn siŵr o fod yn gwybod bod eogiaid a gwyniadau'n claddu, fel arfer, i fyny yn rhannau uchaf yr afon, ac yn claddu eu hwyau yn y gro. Yn y gwanwyn, ar ôl bod yn gorwedd o dan y gro drwy'r gaeaf, mae'r wyau yma yn deor ac mae'r sgodyn bach, neu'r *alvin* fel y'i gelwir, yn aros o dan y gro hyd nes bydd y sach o dan ei fol sy'n ei gynnal bron â diflannu. Yna, daw allan o'r gro yn *fry* ac mae'n ddigon cryf erbyn hyn i wrthsefyll y lli. Wrth i'r *fry* dyfu mae'n troi yn *parr*, a chan ddibynnu ar faint o fwyd sydd yn ei amgylchedd, bydd y *parr* yn troi yn *smolt* yn hwyr neu'n hwyrach. Yr enw a roddwn ni ar *smolt* yn yr ardal hon yw silsyn (sils). Pan fydd yn troi'n silsyn bydd ei liw yn newid o fod yn dywyll i fod yn sgodyn gloyw. Digwydda hyn pan fydd y sgodyn tua dwyflwydd oed, efallai dair, gan ddibynnu, fel y dywedais, ar y bwyd sydd ar gael. Gwelais roi *fry* mewn llyn bychan ar ochr Cilan ym Mhen Llŷn, ac fe ddaethant yn sils ymhen blwyddyn gan fod cymaint o fwyd yn y llyn. Roeddem yn eu rhwydo allan yr adeg honno ac yn mynd â hwy yn ôl i afon Erch, gan mai o'r fan honno yr oeddem wedi eu godro ar y dechrau. Wedi i'r *parr* droi'n silsyn, mae'n gwneud ei ffordd i lawr yr afon tua'r môr yn ystod Ebrill a Mai.

Pwrpas gosod cawell, felly, oedd dal y sils bach. Wrth i'r pysgod bach — y rhan fwyaf ohonynt rhwng rhyw bum a chwe modfedd — fynd dros y pistyll, byddent yn disgyn i'r gawell a rhwng pwysau'r dŵr yn disgyn i'r gawell a'r eithin, roedd hi'n anodd iawn iddynt ddod oddi yno. Ni chlywais erioed faint o bysgod oedd y cewyll yma yn eu dal, ond mae'n siŵr ei bod hi'n bosib dal dwsinau mewn noson. Mae'r sils bach fel gwenoliaid, mae'r rheiny'n hel at ei gilydd, ac ar ôl bod yn hel am ddyddiau, mae'r cwbl wedi diflannu ac wedi mynd ar daith i wledydd eraill. Ymddwyn yr un fath wna'r sils bach yma. Gallech gerdded darn isaf yr afon heddiw a gweld llyn gyda channoedd o'r pysgod bach yma ynddo, ond drannoeth, fyddai dim un yno. Byddai'r cwbl wedi mynd efo'i gilydd i'r môr mawr.

Pan fyddai'r sils bach yma o gwmpas, byddai'r rhan fwyaf ohonom ni'r hogiau'n mynd i sgota amdanynt. Chwe modfedd fyddai'r mesur cyfreithlon i gadw sgodyn yr adeg honno, ond i mi, sgodyn oedd sgodyn ac i'r bag y byddent yn mynd. Wrth sgota am y pysgod yma y dysgais sut oedd sgota pluen — roedden nhw mor hawdd i'w dal. Castan â dwy neu dair pluen arni, a'i thaflu i'r dŵr. Byddai'r pysgod bach mor llwglyd nes ein bod yn dal dau neu dri ohonynt am bob tafliad bron.

Pan oeddwn wedi bod wrthi rhyw ddiwrnod, ac yn cerdded adref ar hyd y lein o afon Dwyfor i Gricieth, rwy'n cofio imi gyfarfod â William Jones, ffermwr Abercin. Roedd wrthi'n chwalu *basig slag* efo rhaw, ac yn ddu bits.

'Gefaist ti rywbeth?' holodd.

'Do,' atebais innau, 'tua dau gant.'

Doedd o ddim yn fy nghoelio nes imi agor y bag a hwnnw'n llawn o bysgod bach. Pan welodd hwy, yr oedd yn methu â chredu'r peth ac yr oedd yn falch iawn pan roddais rai iddo i fynd adref am ffidan.

Pa un sy'n llywaeth?

Y llun a fu yn y papur newydd ac ar y wal yn Butlins.

Fy nhad yn ŵr ifanc.

Fy nhad, Gruffydd Davies Owen (Guto Dafis) ar y ffordd adref o'r afon wedi dal eog.

Mam — Emma Owen.

*Gruff, fy mrawd gyda'r eog 32 pwys a ddaliodd yn
Llyn Felin, Pensarn (ar afon Dwyfor). Clywais fy nhad
yn dweud mai eog 50 pwys oedd y sgodyn mwyaf a gafodd
ei ddal ar afon Dwyfor a hynny efo gaff.*

Emrys, fy mrawd.

Yncl Jac.

*Fy ewyrth, Dafydd
Winston Owen y bu sôn
amdano efo'r eog
20 pwys.*

*Derbyn cwpan mis Medi gan Moc Morgan
yn y George, Cricieth yn 1987.*

Noson wobrwyo Clwb Pysgota Cricieth, 1972 (o'r chwith):
Emrys, Bill Morris efo'i bluen Dwyfor Fairy *a minnau.*

Emrys, Gruff a minnau wedi ennill cwpanau (1967).

Dafydd Ensor.

*Caleb yng nghwmni Idwal Humphries
ar y Cob ym Mhorthmadog.*

R.H. Roberts (Robin Jointar).

Jonathan a Paul, y ddau fab, yn hapus yng nghwmni eog 12 pwys.

Llew Osmond (chwith) gydag un o'r ymwelwyr wrth yr 'Angler's Rest'.

Herbert Evans ac Emrys Lloyd Price
wedi bod yn dal slywod.

Herbert Evans wrth y trap eogiaid bach
yr ochr isaf i Lyn Drynogydd.

*Dr Robert Rees
Prytherch.*

*Daniel Pritchard, Llanystumdwy, fu'n gyfrifol am roi
Emrys a minnau ar ben y ffordd ar y dechrau.*

Twm Pugh yn dathlu ennill y gwpan yn y Lion, Cricieth (1967).

Charles Davies (Charlie Bus) wrth Pant Dŵr Oer (ar afon Glaslyn).

Llew Osmond yn ei ogoniant ar lan yr afon ym Mhensarn.

Dafydd James Thomas
ac Evan Emlyn Davies

Dyma ichi ddau gymeriad, ond sut oedden nhw'n ddau bartner, Duw ei hun a ŵyr. Roedd Dafydd James yn dawel; digon i'w ddweud, cofiwch, ond pan fyddai'n adrodd rhyw hanes, rhaid oedd gwrando'n astud iawn er mwyn ei glywed gan ei fod yn siarad mor dawel. Nid oedd dim byd yn ei ypsetio fyth.

Roedd Evan wedyn yn hollol wahanol. Prin y stopiai siarad o gwbl, ac fel arfer, siarad a lladd ar bobl eraill y byddai. Yr oedd ganddo ffugenw i bawb bron bob amser ac mae'n siŵr fod ganddo un i minnau, ond ddywedodd neb erioed wrthyf beth oedd hwnnw.

Y ffugenw gorau a glywais ganddo am ddyn oedd *Knowledge Box*. Dyna a alwai fy meistr i, sef Herbert Evans, y *Fisheries Superintendant*. Gofynnai Evan yn aml, 'Sut mae'r *Knowledge Box*?' Neu pe bai rhyw broblem yn rhywle, 'Beth mae'r *Knowledge Box* yn ei ddweud?'

Er mai bod yn sbeitlyd yr oedd Evan tuag at Herbert Evans, roedd yr enw *Knowledge Box* yn un addas. Nid hogyn o'r coleg oedd Herbert Evans; gwyddai be oedd be a chawsai ysgol galed. Dechrau fel cipar ar afon Conwy a wnaeth, gyda dim ond beic bach i grwydro o Gonwy i fyny at ben Bwlch Gorddinan, Penmachno a Chapel Curig ac fe wyddai am bob carreg yn yr ardal.

Gwyddai am bob afon o Aberdaron i lawr hyd at Fachynlleth hefyd, yn ogystal ag afonydd Llyfni, Gwyrfai, Seiont ac Ogwen. Roedd wedi crwydro ar hyd y cwbl. Pan fyddem yn rhoi adroddiad iddo am ryw botsiars, neu'n dweud wrtho ble'r oedd potsiars wrthi, fe ddywedai yn aml iawn,

'*I know the place,*' ac fe wyddai hefyd, nid dweud er mwyn dweud yr oedd.

'Bonnie' fyddai Evan yn galw Charlie Bus. Mae'n siŵr ei fod yn ei gysylltu â Bonnie Prince Charlie. Gwelais ef yn dod ataf ym mwlch Aberglaslyn un diwrnod. Safwn uwch y Gorad, ac roedd Charlie'n sgota yn ei dwll. Daeth Evan ataf a gwelodd Charlie.

'Ydi Bonnie wedi cael rhywbeth? holodd.

'Nac'di,' atebais innau.

'Newydd gorau gefais i heddiw,' meddai Evan.

Rhyw bethau bach fel yna fu hanes Evan, pethau bach a oedd yn ddigon i fynd dan groen rhywun, ond gan fod pawb yn gwybod amdano ni chymerai neb fawr sylw ohono.

Yr unig reswm fedra' i feddwl amdano oedd yn gwneud y ddau yma'n bartneriaid oedd bod y ddau yn sgotwyr reit dda. Dafydd James yn sgotwr pluen penigamp, ond sbinio fyddai dull Evan. Sbiniai Dafydd James hefyd, ond pur anaml y gwelid ef efo pry genwair yn y bwlch, pan fyddai lli yn yr afon. Daliai'r ddau amryw o eogiaid bob tymor, ond yr unig ddrwg oedd bod y ddau yn gwneud campau os nad oedd cyflwr yr afon yn iawn i sgota pluen neu i sbinio.

I bawb sydd yn adnabod afon Glaslyn, fe wyddoch fod yr afon yn fwy o lyn nag afon ar yr ochr isaf i fwlch Aberglaslyn, lawr i'r môr. Os bydd yr afon yn isel a dim math o wynt, bydd mor dawel â llyn llefrith ac ar adegau fel hyn, dydi hi'n dda i ddim efo pluen na sbinar gan fod eisiau awel neu frisyn i greu tonnau ar y dŵr. Pan fyddai'r afon yn y cyflwr yma, defnyddiai'r ddau berdysen *(shrimp)* neu gorgimwch *(prawn)* fel abwyd, ond wrth wneud hynny, torrent un o reolau'r clwb. Roedd rheol ar ddu a gwyn yn nodi nad oedd y ddau abwyd yma i gael eu defnyddio am fod gormod o bysgod yn cael eu dal. Mae'r dull hwn o sgota'n sbyddu'r stoc yn yr afon. Ni chymer gwyniedyn yr abwyd ond fe ruthra eog ato ar ei union, yn enwedig eog sydd newydd ddod i'r afon o'r môr. Cefais ar ddeall gan sgotwyr eraill eu bod yn amau'n gryf bod Dafydd James ac Evan wrthi, ond nid oeddwn i fy hun wedi eu gweld. A dweud y gwir, doedd o'n ddim busnes i mi. Cipar y Bwrdd Dŵr oeddwn i, a doedd dim rheol gan y Bwrdd i ddweud nad oeddynt i'w defnyddio. Rheol Clwb y Glaslyn oedd hon, a neb arall.

Beth bynnag, aeth Evan yn rhy ddigywilydd. Byddai'n mynd i lawr i harbwr Porthmadog efo *skip net* (rhwyd fach ar ben polyn) ac yn dal y perdys a'r corgimychiad o dan y gwymon gyda'r lan, a hynny yng ngŵydd pawb. Wrth gwrs, roedd llawer o sgotwyr yn ei weld ac fe siaradai pawb ar hyd yr afon amdano. Roedd gan Glwb y Glaslyn gipar rhan-amser, ond ataf fi yr oedd pawb yn dod i gwyno. Pam oedd y ddau yma'n cael llonydd? Pam na wnei di rywbeth ynglŷn â'r peth? Taswn i yn gwneud rhywbeth, buan iawn y buasent ar fy nghefn i.

Parhaodd hyn am ddyddiau, a minnau'n derbyn cwynion gan ddau, neu hyd yn oed bedwar sgotwr y dydd, ac er imi ddweud wrthynt nad oedd a wnelo fi ddim byd â nhw, dal i gwyno a wnaethant. Wrth gwrs, cefais lond bol ar y cwynion, a dyma benderfynu ceisio eu dal er mwyn cael llonydd.

Roeddwn wedi amau ers tro mai yn Llyn y Ferlas y byddai'r gêm yma'n digwydd. Byddai'r ddau yno yn bur aml. Rhyw led cae o'r ffordd oedd y llyn, ond eto'n ddigon agos iddynt weld rhywun yn dod, ac wrth gwrs, ar ôl gweld rhywun yn dod fe gâi'r abwyd ei newid.

Rai dyddiau ar ôl imi benderfynu fy mod am ddal y ddau, digwyddwn fod wrth yr harbwr yn gwylio'r rhwydwyr wrth eu gwaith. Daeth sgotwr ataf a dweud bod Dafydd James newydd fynd ar y bws yn cario ei enwair. Roedd yn ddiwrnod braf, heulog, ac fe wyddwn yn iawn nad oedd yn ddiwrnod sgota pluen na sbinio am nad oedd chwa o wynt, ac fe wyddai'r sgotwr yma hynny hefyd.

Erbyn hyn roeddwn wedi cael fan gan y Bwrdd Dŵr yn lle'r moto-beic, felly i fyny â mi at y gilfach ble byddai'r sgotwyr yn gadael eu cerbydau i fynd i sgota y Ferlas. Gadawais hi dipyn yn is i lawr ac yna cerdded i fyny. Bûm yn astudio'r lle ymlaen llaw ar gyfer hyn, a chan fod tipyn o goed yr ochr isaf i Lyn y Ferlas fe wyddwn, pe bawn yn gallu cadw gyda'r afon, y gallwn gyrraedd y llyn heb gael fy ngweld bron iawn. Ac felly y bu. Cerddais yn reit ofalus gyda'r afon nes dod i olwg y llyn. Dyna lle'r oedd Dafydd James yn eistedd wrth ochr y llyn a'i enwair o'i flaen, a'r *float* oedd yn diflannu pan gymerai'r sgodyn y *shrimp* yn nofio ynghanol y llyn. Cerddais ato.

'Sut ma'i?' meddai. 'Trio yr hen beth yma, does dim gwynt i bluen.'

'Wel ia, David James,' atebais, 'ond mae arna' i ofn y bydd raid imi ddweud wrth Owie fy mod wedi eich gweld yn ei ddefnyddio.'

'Ia, iawn,' meddai yn ei lais tawel. Riliodd y *float* i

mewn, tynnu'r *shrimp* a'i daflu i'r dŵr. Yna rhoi bwnsiad o bryfed genwair ar y bach a'i daflu i ganol y llyn. Roedd yn arw gennyf am yr hen Dafydd; bai Evan oedd fy mod yn gwneud hyn ac eglurais wrth Dafydd pam oedd raid imi ddweud wrth y clwb. Ysgwyd ei ben a wnaeth, ac yna dywedodd,

'Evan yntê. Dwn i ddim beth sydd arno. Mi fydd yn gwneud a dweud y pethau gwiriona' weithiau.'

Ysgwydodd ei ben wedyn, ac yna dywedodd,

'Evan ydi o yntê.'

Rhyw wythnos ar ôl dal Dafydd James, roeddwn eto'n mynd i fyny tuag at Lyn y Ferlas pan welais, wrth imi fynd gyda'r afon, fod car Evan yn y gilfach barcio. Sunbeam du oedd ei gar, a doedd gan yr un sgotwr arall ar yr afon Sunbeam, felly mae'n rhaid mai Evan oedd ei berchennog. Pan welais y car, gwyddwn y byddai'n rhaid imi fod yn ofalus iawn rhag ofn iddo fy ngweld. Roedd yn siŵr o fod yn gwybod beth oedd wedi digwydd i'w gyfaill, ac felly, byddai'n siŵr o fod yn fwy gwyliadwrus. Euthum i fyny yn ara deg bach, gan ofalu bod coeden neu ryw rwystr rhyngof i a'r llyn tan yr eiliad olaf.

Wrth imi ddod i olwg y llyn, fe'm gwelodd, a rhuthrodd at yr enwair oedd ar y llawr gan ddechrau rîlio'r *float* i mewn, ond yr oedd yn rhy hwyr, roeddwn efo fo pan ddaeth y *float* a'r *shrimp* i'r lan.

Ddywedodd o ddim gair, dim ond rhuthro at y *shrimp*, troi ei gefn ataf, tynnu'r *shrimp* oddi ar y bachyn a'i daflu i'r afon. Wrth iddo dynnu'r *shrimp*, dywedais wrtho:

'Mae yna gwyno garw eich bod chi'n defnyddio hwn, Evan, ac fe fydd yn rhaid imi ddweud wrth Owie fy mod wedi eich gweld chi efo fo.'

Ar ôl taflu'r *shrimp* neu'r corgimwch i'r dŵr, trodd ataf a gofyn beth oeddwn yn fwriadu ei ddweud wrth Owie.

'Dweud eich bod chi'n sgota efo *shrimp*,' meddwn innau.

'Ond doeddwn i ddim yn gwneud y ffasiwn beth. Pry genwair oedd gen i,' meddai.

Wnes i ddim dadlau ag o, dim ond dweud wrtho fy mod wedi ei ddal yn deg a bod y clwb yn cael gwybod, ac yna cerddais oddi yno. Doeddwn i ddim mymryn haws â dadlau, fyddai hi ond wedi mynd yn ffrae.

Rhyw wythnos ar ôl gweld Evan, cafodd fy meistr, Herbert Evans, lythyr di-enw yn dweud nad oeddwn yn dda i ddim fel cipar, ac nad oeddwn yn gwneud fy ngwaith, dim ond yn sgota. Gwyddai'r dyn yn iawn nad oedd hynny'n wir. Onid oeddwn i'n anfon adroddiadau am rywun i'r swyddfa bob wythnos? Ac fel y dywedodd wrthyf,

'There's a place for all anonymous letters — the waste paper basket.'

Tua wythnos wedyn, roedd lli mawr yn yr afon a llu o sgotwyr ym mwlch Aberglaslyn, ac Evan yn eu mysg. Roedd gan Evan stori y diwrnod hwnnw hefyd; stori amdano'n gyrru llythyr at y *Knowledge Box* yn dweud nad oeddwn yn dda i ddim fel cipar. Serch hynny, ddywedodd o ddim wrth neb mai llythyr di-enw yr oedd o wedi'i yrru.

Cofiaf weld Evan yn sbinio wrth y Dorau ym Mhorthmadog un diwrnod yn nechrau Ebrill. Anghofia' i fyth mohono y diwrnod hwnnw. Roedd yna wynt cryf o'r dwyrain a hithau'n rhewi'n galed. Roedd Evan mewn 'welingtons' bach yn sefyll yn y dŵr a'i drwyn yn rhedeg. Roedd ei ddwylo'n biws gan oerni wrth weindio'r sbinar i mewn a'r diferion dŵr ar ei lein yn rhewi yn beli bach. Gan ei bod mor felltigedig o oer, doedd dim rheswn i ddyn o'i oed o fod allan, heb sôn am fod yn sefyll yn ei unfan yn sgota. Bu'n taflu'r sbinar allan a'i weindio'n ôl am sbel heb gael cynnig hyd yn oed, ac wrth roi'r gorau iddi, dywedodd wrthyf,

'Does 'na ddim pysgod yma.'

Sawl gwaith y clywais hyn yn cael ei ddweud wrthyf dros y blynyddoedd? Mi fyddai bai ar rywbeth arall o hyd os nad oeddynt yn dal, ac yn aml iawn, dyna fyddai eglurhad y sgotwyr — 'dim pysgod yma' a neb byth yn beio'i hun. Cofiaf sgwrsio ag Evan un gyda'r nos, a gofynnodd i mi ble'r oeddwn wedi bod yn ystod y dydd.

'Llynnoedd Eiddaw a Chaerwych,' atebais. ''Dach chi'n gwybod lle maen nhw, Evan?'

'Yndw, yn iawn,' oedd yr ateb. 'Mi fûm yn sgota lawer yno, flynyddoedd yn ôl. Mae yna bysgod go lew yn y ddau Lyn Eiddaw, ond pysgod bach iawn sydd yng Nghaerwych.'

Dywedais wrtho imi fod yn Llyn Caerwych sawl tro, ond doeddwn i erioed wedi gweld unrhyw un yn sgota yno. Roedd hynny yn fy synnu gan fod digon o bysgod i'w gweld yn codi yno.

'Wyddost ti,' meddai Evan, 'rwy'n cofio pan oeddwn i'n hen foi, tri ohonom yn mynd yno efo rhwyd fân ac yn ei rwydo. W'sti be, mi gawsom ddau gant o bysgod. Blydi silidons i gyd!'

'Beth oeddach chi'n ei wneud efo rhai felly Evan, eu lluchio yn ôl?'

'Naci, mynd â nhw efo ni. Ar y ffordd i lawr dyma gyfarfod â rhyw fois o Stiniog ac mi gymerodd y rheiny y blydi lot. Mae'n siŵr eu bod nhw wedi'u byta nhw i gyd. Futith 'rhen fois Stiniog 'na rwbath. Mae'n siŵr gen i eu bod nhw ar lwgu yno.'

Fe fyddech yn meddwl bod mynd â dau gant o fân bysgod o lyn bychan yn y mynydd yn gwneud mawr ddrwg i'r llyn, ond na, gwneud lles yr oedd o ac os rhywbeth, roedd eisiau mynd â mwy oddi yno. Os oedd Evan wedi cael dau gant, mae'n rhaid bod yno filoedd, a dyna'r broblem a'r rheswm pam oedd y pysgod mor fach. Roedd mwy o bysgod yn y llyn nag a fedrai'r llyn ei gynnal, ac felly roedd rhaid i bob un fodloni ar 'blataid bach' yn lle cael llond bol, ac felly nid oedd gobaith iddynt dyfu. Po leiaf yn y byd yw'r pysgod, po fwyaf o fwyd sydd ei angen arnynt. Po fwyaf o fwyd sydd yno, po fwyaf yn y byd yw'r pysgod.

Fel y dywedais, roedd gan Evan ffugenw ar bawb, ac o ganlyniad i gamgymeriad a wnaeth ef ei hun rhyw gyda'r nos, fe gafodd yntau ffugenw. Yn ôl y stori, yr oedd Evan wedi mynd at ryw lyn i saethu hwyaid. Gwelodd hwyaden ar y dŵr ac fe'i saethodd. Ond heb yn wybod i Evan, roedd rhyw ddyn yno o'i flaen ac roedd hwnnw wedi rhoi hwyaden bren ar y dŵr i ddenu hwyaid gwyllt i'r llyn, ac ia, yr hwyaden bren a saethwyd gan Evan! O'r diwrnod hwnnw, 'Chwadan Bren' fu ffugenw'r hen Evan.

Rhwydo Porthor

A minnau bellach wedi ymddeol o gipera ers rhai blynyddoedd, ac wedi troi at gadw ychydig o ddefaid a magu ambell lo, byddaf o dro i dro yn mynd i'r mart i brynu neu werthu anifeiliaid. Bûm hefyd mewn sawl arwerthiant fferm.

Fy mhartner ar lawer o'r tripiau hyn fydd Dafydd Pennant Owen, Pentrefelin. Mae Dafydd yn ffrind ac yn gymydog imi, ac oni bai amdano fo, wn i ddim beth fyddwn yn ei wneud. Mae Dafydd wedi bod, ac yn dal i fod, yn garedig iawn wrthyf, a does dim yn ormod o drafferth ganddo. Tipyn o fargeiniwr yw Dafydd, ac wrth gwrs, rwyf innau, wrth ei ganlyn, yn cael ysgol dda. Cofiaf fod ym mart Gaerwen efo fo un diwrnod, yn prynu cant o fêls gwair gan Emlyn, mab Alun Bodfal Bach. Emlyn yn gofyn £1.60 a minnau'n cynnig £1.50 y bêl. Yr ateb a gefais ganddo oedd,

'Rwyt ti wedi bod ormod yng nghwmni hwn.' Yn y diwedd fe'u cefais am £1.55 yr un.

P'run bynnag, wrth ganlyn Dafydd mi fyddwn yn dod i adnabod amryw o ffermwyr. Mae Dafydd yn adnabod pawb bron, a phan fyddai'n cael sgwrs gyda hwn a'r llall, mi fyddwn innau yno fel cynffon iddo. Deuai rhai o'r ffermwyr o Ben Llŷn, ac yn aml iawn, wedi iddynt ddod i ddeall mai cipar afon wedi ymddeol oeddwn, byddent yn siŵr o ofyn,

'Oeddech chi yno pan gafodd Smith Plu ei ddal ym Mhorthor?'

Oeddwn, yr oeddwn yno — fi wnaeth y siarad y bore hwnnw ar Fehefin y 5ed, 1962.

I'r rhai nad ydynt yn cofio Harry Smith, mae'n well imi roi ychydig o'i hanes ichi. Fe'i galwyd yn Smith Plu am ei fod yn dod o gwmpas y ffermydd yn prynu sachau a phlu. Yr adeg honno, deuai blawd gwartheg mewn sachau 140 pwys (un ar bymtheg ohonynt i'r dunnell), a phan fyddai criw go dda o wartheg godro mewn rhyw fferm, buan iawn y byddai rhyw ddau neu dri chant o sachau yn hel. Byddai Harry yn dod heibio wedyn, ac os oeddynt mewn cyflwr go lew, byddai'n talu rhyw swllltyn yr un amdanynt. Bûm wrthi'n rhoi trefn ar sachau lawer gwaith pan oeddwn yn gweini, er mwyn eu gwerthu iddo. Roedd Harry'n ddyn poblogaidd, a'r rheswm am hynny mae'n siŵr oedd am ei fod yn ddyn reit onest, yn talu am y sachau heb ddim lol. Chlywais i neb erioed yn dweud bod Harry wedi eu gwneud.

Gan fod stori Porthor yn dal yn fyw ym Mhen Llŷn, dyma hanes y noson honno. Emrys fy mrawd oedd cipar Pen Llŷn ac roedd ganddo gipar rhan-amser o Dudweiliog i'w helpu, sef y diweddar Sam Penllech fel y'i gelwid ef. Sam oedd y sbïwr, a fo fyddai'n synhwyro o gwmpas yr ardal. Cafodd Sam rhyw awgrym fod Smith ac eraill yn rhwydo a gwerthu pysgod, ac roeddem wedi bod yn ceisio ei ddal ers tua mis ond heb unrhyw lwc. Y noson honno, roedd Emrys a minnau'n digwydd bod yn y tŷ pan ffôniodd Sam. Roedd o wedi cynhyrfu braidd, ac mi ddywedodd ei fod bron yn saff fod Smith yn mynd allan i rwydo y noson honno. Cawsai Sam ar ddeall mai Sion Tŷ Rhent, a oedd yn byw ar draws y ffordd iddo bron iawn, oedd un o'r criw a fyddai'n mynd efo Harry Smith, ac yr oedd newydd glywed gwraig Sion yn dweud y drefn wrth y plant am wneud twrw gan fod Sion yn ei wely yn ceisio cael ychydig o gwsg. Yn Nhrawsfynydd y gweithiai Sion ar y pryd, ac er ei fod yn cychwyn i'w waith yn fore iawn, doedd o ddim yn mynd i'w wely am hanner awr wedi saith fel arfer. O ganlyniad i hynny, roedd Sam yn bendant mai cael dipyn o gwsg cyn mynd allan i rwydo yr oedd Sion.

Gan fod Emrys newydd gael fan gan y Bwrdd Dŵr, trefnodd i gyfarfod Sam ac i'r ddau fynd i gadw golwg ar yr ardal. Roeddwn i am aros gartref ac os oedd rhywbeth ar ddigwydd, byddai'n fy ffônio.

Wedi i Emrys fynd, trefnais gyda Griff Hughes, Chwilog (a oedd ar y pryd yn gipar rhan-amser ac yn dod gyda ni ar adegau) y byddwn yn ei godi pe byddai rhywbeth yn digwydd. Toc wedi deg, dyma Emrys yn ffônio. Roedd wedi dilyn lorri Smith, a oedd yn cario cwch ar ei chefn, i Borthor. Nid oedd amser i'w golli. Ffôniais Guto (Griff Hughes), ac yna i Dudweiliog â ni cyn gynted ag yr âi'r moto-beic a chwrdd ag Emrys a Sam yno. Roedd Sam yn daer y byddai helynt pan fyddem yn eu dal ac y byddai'n well inni gael plismon efo ni, rhag ofn. Aethom i Aberdaron yn y fan i gwrdd ag Einion y plismon, a chan fod hwnnw'n barod i ddod efo ni, dyma gychwyn am Borthor.

Gadawyd y fan gryn bellter i ffwrdd, ac yna cerdded i lawr a darganfod y lorri wedi ei gadael yng ngwaelod y ffordd ger y traeth. Gwelsom bedwar wrthi'n tynnu ar y traeth. Buom yn sefyll yno am sbel yn cynllunio sut yr oeddem am eu dal. Penderfynwyd disgwyl iddynt orffen tynnu a dod at y lorri, a chan fy mod yn adnabod Smith, y fi oedd i wneud y siarad. Doedd dim i'w wneud wedyn ond cael lle go ddiogel wrth ymyl y lorri i'w disgwyl.

Bu'n rhaid disgwyl am ddwyawr go dda cyn iddynt ddod at y lorri. Yna, pan oeddent wrthi'n codi'r cwch i mewn i'w thu ôl, dyma ni i gyd yn rhuthro allan tuag atynt, pob un ohonom yn dal lamp yn ei law. Ond ni chawsom unrhyw drafferth o gwbl, yn wahanol i'r disgwyl. Dim gair croes gan neb. Roedd ganddynt ddau wyniedyn yn pwyso rhyw dri phwys yr un ac roedd hynny'n ddigon imi fedru mynd â'r rhwyd a'r pysgod, a dweud wrthynt eu bod yn cael eu riportio. Heddiw, byddai'r pedwar wedi cael eu hanfon i Swyddfa'r Heddlu a'r cwch a'r lorri wedi mynd hefyd.

Emrys fy mrawd a Daniel Pritchard, Llanystumdwy aeth â gwysion i'r pedwar. Cymerodd Sion Tŷ Rhent hi heb ddim lol, a phan aethant i'r siop at Smith Plu cawsant groeso mawr. Cymerodd y wŷs gyda gwên, ac wedyn mi fu'n holi Emrys sut oedd Mam. Estynnodd ddau focsiad o fefus i Emrys fynd adref iddi. Ond yn ôl Emrys, roedd pethau'n wahanol iawn pan aeth i weld Thomas Thomas. Roedd hwnnw'n cega a bygwth ac yn gwrthod yr wŷs, ond bu'n rhaid iddo ei chymryd yn y diwedd.

Ym Mhwllheli y bu'r achos, ac os rwy'n cofio'n iawn, rhyw £5 yr un a thalu'r costau oedd y gosb. Yn ôl yr hanes, Smith Plu dalodd y cwbl o'i boced ei hun.

Dyna fersiwn gywir y stori ac os clywsoch chi hi'n cael ei hadrodd yn wahanol, yr ydych wedi eich camarwain.

Ar ôl gorffen yn Nhrawsfynydd bu John Williams, neu Sion Tŷ Rhent, yn gweithio gyda'r A.A. ac fe ddaeth Emrys a minnau'n ffrindiau mawr ag o. Bu farw Sion yn sydyn ac yn annisgwyl ac yntau ond yn ei bedwardegau ac mae'n chwith mawr ar ei ôl. Bu Sam Penllech hefyd yn wael iawn am hir cyn iddo yntau farw cyn cyrraedd ei hanner cant.

Yr adroddiad a anfonwyd i'r Swyddfa yng Nghaernarfon:

GWYNEDD CONSTABULARY.

Division: CAERNARVON.
Police Station: ABERDARON.
5th June, 1962.

To: Superintendent T.J.Williams, D.C.C., Caernarvon.

From: Constable 60, E.T.Jones.

Subject: SALMON AND FRESHWATER FISHERIES ACT, 1923.

Sir,
I report that at about 11.30p.m. on Monday, 4th June 1962, Edgar Davies Owen and Emrys Owen, Water Bailiffs for Gwynedd River Board, both of 15, Ty'n Rhos, Criccieth, called at this Police Staion and informed me that they suspected a Mr. Henry Smith, of Bryn Goleu Stores, Morfa Nefyn of poaching salmon off the beaches of Lleyn Peninsula. The two Bailiffs were accompanied by Griffith Henry Hughes, Caeron, Chwilog, Pwllheli and Samuel David Jones, 2, Pant Amlwch, Tudweiliog, Pwllheli. The Bailiffs were anxious that I should accompany them and keep a vigil for poachers. I readily

agreed to accompany them as I have always, in the past, co-operated with the Officials of the Gwynedd River Board.

At about 11.45p.m. I went with the men to Whistling Sands, which is approximately 3 miles from Aberdaron, on the South side of the Lleyn Peninsula.

Immediately on arriving we saw an open motor lorry which had been driven to the edge of the sands. We kept watch and soon located at least four men operating a dragnet just off shore. It was decided to wait until the men had completed dragging operations before approaching them. It was observed from a vantage point that two men were on shore and two in a small open boat; thus the men in the boat would row out some short distance from shore dropping the dragnet astern. The men on shore would stay in the same position holding one end of the net until the boat had come back towards the shore having been manouevred in a half moon fashion on the water. The four men would then haul the net ashore and check the result.

After about two hours of dragging the men brought their tackle up to the lorry and after they had loaded the small boat onto the back of the vehicle they were confronted by the Bailiffs and myself.

Particulars were obtained and two sea trouts, together with the dragnet were seized. It was known that the men did not have a licence to catch sea trout and the Bailiffs told them that they would be reported for a summons.

I submit hereunder the names and addresses of the poachers:-

1. Henry Smith, Bryn Goleu, Stores, Morfa Nefyn.

2. Henry Smith (son), Bryn Goleu, Stores, Morfa Nefyn.

3. Thomas Thomas, Tir Dafydd, Bryncroes, Sarn.

4. John Williams, Dwylan, Tudweiliog, Pwllheli.

    I am, Sir,
        Your obedient Servant.
(SGD) E.T. Jones. P.C.60.

Arwyddo Gwybodaethau

Yn y cyfnod cyn i'r Bwrdd Dŵr gyflogi ei dwrneiod ei hun, byddai pwyllgor yn penderfynu beth i'w wneud efo troseddwyr a ddaliwyd yn gwneud drygau, ac fe fyddai adroddiad y cipar yn mynd o flaen y pwyllgor busnes. Câi rhai troseddwyr rybudd trwy lythyr ac eraill eu gyrru i'w cosbi mewn llys ynadon ym Mhwllheli, Porthmadog, Penrhyndeudraeth neu Flaenau Ffestiniog fel arfer, er fy mod wedi gorfod mynd i Gaernarfon, Dolgellau ac unwaith neu ddwy i'r Bermo.

Wedi i'r pwyllgor benderfynu mai cosbi oedd i fod, byddai adroddiad y cipar yn cael ei yrru at dwrnai. Yn fy achos i, fe âi'r adroddiad at W.R.P. George a'i Fab fel arfer. Wedi i'r twrnai dderbyn yr adroddiad, byddai wedyn yn gyrru'r 'wybodaeth' i mi. Papur yn enwi'r troseddwr ac yn disgrifio'i drosedd fyddai'r 'wybodaeth', ac yr oedd yn rhaid imi arwyddo hwn yng ngŵydd Ynad Heddwch. Wedi imi ei arwyddo, byddai'r ynad yn ei arwyddo ac yn rhoi'r dyddiad arno. Rhaid oedd gwneud hyn cyn cael gwŷs yn erbyn y troseddwr, ac fe fyddai Ynad Heddwch ym mhob ardal i wneud y gwaith hwn.

Rhaid oedd arwyddo'r ddogfen hon lai na chwe mis wedi i'r drosedd ddigwydd. Os âi mwy na chwe mis heibio, yna câi'r troseddwr fynd â'i draed yn rhydd.

Unwaith yn unig y gwelais hyn yn digwydd a hynny gan dwrnai y Bwrdd Dŵr ei hun! Achos oedd hwnnw yn erbyn gŵr o Fethesda yr oedd Emrys a minnau wedi ei ddal yn ceisio 'ffowl hwcio' pysgod yn Nolbenmaen efo genwair â bach trebl mawr ar flaen y lein. Roedd Emrys a minnau'n flin iawn am y blerwch, gan inni dreulio dipyn o amser yn dilyn y gŵr yma cyn ei ddal, a'i ddal yn deg iawn hefyd. Doedd ganddo ddim troed i sefyll arni oherwydd ar wahân i'r bach trebl mawr ar flaen y lein, roedd ganddo tua dwsin o fachau trebl eraill yn ei focs taclau a does dim amheuaeth y byddai wedi cael ei gosbi'n drwm yn y llys ym Mhorthmadog.

Y Fonesig Megan Lloyd George oedd yr Ynad Heddwch agosaf atom. Roedd hi'n byw ym Mryn Awelon, Cricieth, nad oedd ond rhyw bedwar canllath o'm cartref. Unwaith erioed y bûm i ati. Cefais baned o goffi ganddi ond fel y digwyddodd pethau, rwy'n credu mai cynnig paned er mwyn cael mwy o amser i roi pryd o dafod i mi a wnaeth. Meddyliais yn siŵr nad oedd am arwyddo'r papur. Dywedodd yn blaen nad oedd yn cytuno â dal potsiars pysgod.

'Roedd fy nhad yn dweud "sgodyn i bawb i frecwast",' ac yna ymlaen â hi, 'Pa hawl sydd gan y Bwrdd Dŵr i fynd â rhywun o flaen ei well? Nid y nhw sydd wedi rhoi'r pysgod yn yr afon. Duw wnaeth hynny er mwyn i bobl eu dal i gael bwyd.'

Nid oedd yn deall yr angen am gipar afon. Dylai'r afon fod yn rhydd i bawb yn ei barn hi. Fe arwyddodd y papur yn y diwedd, ac a dweud y gwir, roedd yn dda gennyf fynd oddi yno ac nid euthum fyth yn f'ôl.

Wedi hynny, pan fyddwn yn gorfod cael ynad i arwyddo'r papur i yrru rhywun o flaen ei well ym Mhorthmadog, byddwn yn mynd at y diweddar

Gapten Livingstone-Learmouth yn Nhan 'Rallt, Tremadog. Wel, dyna wahaniaeth ar ôl bod gyda'r Fonesig Megan! Gwaith munudau oedd arwyddo, ond go brin y daethwn o Dan 'Rallt ar ôl llai nag awr, ac yn aml iawn âi awr a hanner heibio. Cyn gynted ag y byddai'r Capten yn fy ngweld, byddai'n gofyn am baned bob un inni gan Miss Parry yr howscipar, ac yna byddem yn eistedd wrth y bwrdd i sgwrsio am sgota a hela. Yn aml iawn, byddai'n rhaid mynd efo fo i ryw ystafell arall er mwyn iddo gael dangos rhywbeth neu'i gilydd imi. Bûm yn yr ystafell ble cadwai ei ynnau amryw o weithiau. Cofiaf fynd yno rhyw ddiwrnod iddo gael dangos gwn *4 bore*. Dyna'r unig wn o'i fath a welais erioed, ac yn ôl maint y getrisen, dwi ddim yn meddwl y byddwn yn rhyw hoff iawn o'i danio. Ei ddefnyddio i saethu gwyddau yn yr Alban a wnâi, gan sefyll mewn ffos a oedd yn ddigon dwfn i chwi sefyll â'ch cefn yn ei herbyn. Yna pan oeddech yn tanio at y gwyddau, byddai ochr y ffos yn eich arbed rhag cael eich taflu ar wastad eich cefn gan fod y ffasiwn gic i'w chael wrth ei danio.

Yn 1963 gwelais fy wiwer lwyd gyntaf, a hynny yng Nghymerau, ger Blaenau Ffestiniog. Wyddwn i ddim beth oedd hi i ddechrau, ac yna pan y'i gwelais yn dringo coeden, sylweddolais mai wiwer oedd hi. Roeddwn wedi clywed am y wiwer lwyd, ond honno oedd yr un gyntaf imi ei gweld. Mor wahanol ydi hi heddiw — wiwerod llwyd ym mhob man a dim un wiwer goch i'w gweld bellach. Dywedais wrth y Capten fy mod wedi gweld y wiwer yma, ac meddai,

'*You can eat them, you know. I've got a recipe here somewhere.*' Aeth at gwpwrdd a dechrau chwilota drwy bentyrrau o bapurau, ond methodd ddod o hyd iddo.

Ar ôl trafod pysgod, ffesantod a brain tyddyn am hydion, byddai wedyn yn codi fy mhapur oddi ar y bwrdd ac mi ddywedai,

'*Now then, let's see what we've got here.*'

Darllenai'r papur ac yna ei roi yn ôl i mi i'w arwyddo, ac wedyn arwyddai ef ei hun. Felly yr oedd hi i fod, ac felly y byddai hi bob amser yn Nhan 'Rallt. Ni wnâi'r Capten arwyddo heb i mi arwyddo gyntaf.

Pe bai rhywun wedi cael ei ddal yn ochrau Maentwrog neu Flaenau Ffestiniog, yn llys y Blaenau neu Benrhyndeudraeth fyddai'r achos ac roedd yn rhaid cael ynad o'r ardal honno i arwyddo'r papur cyn symud ymlaen gyda'r achos. At Evan John Jones y byddwn i'n mynd yr adeg honno. Ysgrifennydd ysbytai oedd Evan John, gŵr o'r Blaenau yn wreiddiol ond wedi dod i fyw i Gricieth er iddo fynd yn ôl i'r Blaenau yn niwedd ei oes, ac yno y bu farw, ymhell dros ei bedwar ugain.

Roedd swyddfa Evan ym Mhwllheli, ac yno y byddwn yn mynd yn aml i'w gael i arwyddo'r papur. Roedd Evan John yn dipyn o sgotwr ei hun ac yn cymryd diddordeb mawr ym mhob achos o botsio, yn enwedig ar afon Dwyryd. Pysgotai lawer arni, ac fe wyddai am bob llathen o'r afon fawr, am bob ffos ac afon fach a redai iddi. Pe bawn wedi dal rhywun efo gaff a lamp ar afon Dwyryd, byddai wedi fy holi'n drwyadl am yr hyn a oedd wedi digwydd cyn arwyddo, nes y gwyddai hanes yr achos i gyd cyn iddo fynd o flaen yr ynadon. Yn aml iawn, yr oedd yn adnabod y troseddwyr ac mi gaech hanes eu teuluoedd ganddo.

Cofiaf fod yng Nghricieth yn nôl papur newydd un bore. Yr ochr arall i'r ffordd roedd Evan John yn disgwyl bws i Lundain. Rhedodd ar draws y ffordd ataf, a gwên lydan ar ei wyneb.

'Sut wyt ti? Clywad dy fod wedi dal hwn-a-hwn y noson o'r blaen.'

'Do.'

'Yn lle'r oedd o?'

'Ceunant Sych.'

'Reit dda. Oedd ganddo fo bysgod?'

'Oedd.'

'Reit dda, 'tê? Wela' i di eto,' a rhedodd yn ôl i'r ciw bws rhag ofn i rywun ei weld.

Adroddai Evan hanes tlodi'r Blaenau ers talwm pan oedd o'n blentyn. Byddai'r rhan fwyaf o bobl, meddai, yn potsio er mwyn cael tamaid o fwyd i'r plant, a soniodd sut y byddai ei dad yn cerdded o'r Blaenau i Ddolwyddelan gefn nos i rwydo'r afon. Un noson, meddai, roedd ei dad a thri arall wrthi'n rhwydo rhyw lyn ar afon Lledr, a phan dynnwyd y rhwyd i'r lan, beth oedd ynddi ond corff dyn a oedd wedi ei foddi ei hun. Cafodd y pedwar dipyn o fraw, ond er hynny, fe dynnwyd y corff o'r rhwyd a'i daflu yn ôl i'r afon cyn ei g'leuo hi oddi yno.

Dro arall, clywais ef yn dweud am hogiau'r Blaenau yn mynd i fyny i'r llynnoedd yn y mynydd i sgota dros nos. Un diwrnod, roedd giang ohonynt wedi gwneud cynlluniau i fynd i fyny i Lyn y Morynion ar ôl iddi dywyllu rhyw nos Sul. Ni chaniateid sgota ar y Sul gan Glwb y Cambrian yr adeg honno, felly rhaid oedd aros iddi dywyllu rhag i rywun eu gweld yn mynd gan gario genweiriau.

Pan sylweddolodd tad Evan beth oedd y cynllun, gwrthododd adael i Evan fynd. Doedd dim sgota i fod ar y Sul, a dyna ddiwedd ar y mater. Bu Evan yn swnian drwy'r dydd am gael mynd gyda'r hogiau ond roedd yr hen ddyn yn bendant na châi fynd. Swnian fwy fyth fel yr oedd hi'n tywyllu, nes o'r diwedd, dywedodd ei dad y câi fynd — ond ar un amod: doedd o ddim i gychwyn o'r tŷ nes ei bod hi'n hanner nos. Ac felly y bu. Ei dad yn aros efo fo tan hanner nos, ac Evan wedyn — ac yntau ond yn blentyn — yn dechrau cerdded ar ôl ei ffrindiau i Lyn y Morynion, a hwnnw, hyd yn oed ar draws y caeau, o leiaf ddwy filltir o'i gartref.

Wn i ddim beth sydd wedi digwydd i'r drefn honno, ond does gen i ddim cof o fynd â 'gwybodaeth' i gael ei harwyddo wedi i'r Bwrdd Dŵr gyflogi twrneiod.

Yr Afon a'r Tywydd

Yr oeddwn yn mynd o gwmpas y defaid yn hwyr un noson, fel yr oeddynt yn dechrau ŵyna. Wrth fynd o un cae i'r llall, sylweddolais fod y defaid oedd wedi dod ag ŵyn, tua phymtheg ohonynt, i gyd yn nhin y clawdd. Pan ddeuthum i gae Cefn Tŷ, mi welais yn y fan honno fod pum dafad oedd wedi ŵyna yn cysgodi y tu mewn i sied agored. Meddyliais wrthyf fy hun fod y defaid yn ymddwyn yn union fel petai am dywydd mawr. Roeddwn wedi gweld rhagolygon y tywydd ar y teledu, ac roedd hwnnw'n addo tywydd sych am ddyddiau. Cyn belled ag y gwelwn, yr oedd hi'n noson go lew, y lleuad bron yn llawn, ond roedd ambell gwmwl i'w weld.

Euthum i'r tŷ i gael paned, ac yna, yn ôl fy arfer, euthum â'r cŵn allan am rhyw ddeng munud cyn mynd i'r gwely.

Rhyw dri chwarter awr fûm i yn y tŷ, ac er mawr syndod imi, pan agorais y drws i fynd â'r cŵn allan, yr oedd hi'n dymchwel y glaw. Gwyddai'r defaid bach ei bod hi am law ac roeddent wedi gofalu eu bod yn cysgodi'r ŵyn. Petaent yn dibynnu ar y teledu fel finnau, mae'n siŵr mai ar ganol y clwt y byddent, a'r ŵyn wedi cael trochfa. Beth oedd wedi dweud wrth y ddafad bod glaw ar y ffordd, tybed? Rhaid ei bod wedi cael rhyw arwydd o rywle na wyddwn i ddim amdano.

Yn yr un modd, mae'r afonydd yn dda iawn am ddarogan y tywydd. Nid wyf yn sôn am yr afon yn dweud bod haul neu law i ddod yfory, dweud ydwyf petai rhywun yn astudio'r afon yn fanwl y câi wybod sut dywydd sydd i ddod.

Os gwelir bod afon yn dal ei dŵr yn hir, hynny yw, os bydd afon wedi bod â lli ynddi ac yna wedi mynd i lawr i'w lefel arferol ac yn dal ei dŵr heb fynd yn is, gallwch fentro dweud ei bod hi am dywydd sych. Ond os bydd yr afon wedi bod fel hyn am ddyddiau ac yna'n disgyn rai modfeddi yn sydyn, gallwch fentro dweud ei bod hi am law.

Nid yw afon Dwyfor i'w chyfri yn y sylwadau hyn bellach gan fod yr Awdurdod Dŵr yn tynnu dŵr ohoni ar gyfer pobl Llŷn ac Eifionydd. Efallai, o'i hastudio'n fanwl, y byddai'n haws dweud faint o ymwelwyr sydd yn yr ardal na beth fydd hynt y tywydd.

Yn ogystal â rhoi amcan o'r tywydd sydd i ddod, dangosodd yr afon imi sut mae natur yn gallu gofalu amdani ei hun pan gaiff lonydd. Afon Glaslyn ddangosodd hynny i mi.

I'r sawl sy'n cofnodi'r tywydd, ewch yn ôl i 1983 ac fe welwch fod Medi, Hydref, Tachwedd a'r rhan fwyaf o Ragfyr y flwyddyn honno yn fisoedd sych iawn. Yr oedd hi mor sych nes i afon Glaslyn fynd mor isel fel na fedrai'r pysgod fynd drwy fwlch Aberglaslyn i fyny i'r llynnoedd, ac yna o'r llynnoedd i gladdu yn y ffosydd arferol. Canlyniad hyn oedd i gannoedd o bysgod gladdu yr ochr isaf i'r bwlch, yn rhan uchaf fferm Dinas Ddu. Daliai'r dŵr i lifo yn y rhan honno o'r afon. Mae'n rhaid i'r pysgod gael dŵr sy'n llifo oherwydd mae rhediad y dŵr yn cynorthwyo'r sgodyn wrth iddo symud gro i wneud y gladd. Yr iâr fydd yn gwneud hyn gyda'i chynffon, fel arfer. Os na fydd dŵr yn llifo bydd y gro yn rhy fân ac mae perygl i'r wyau fygu. Felly, peth dieithr oedd gweld claddfeydd yn y rhan hon o'r afon, ond roedd yn rhaid i'r pysgod gladdu yn rhywle, a chan mai'r fan hon oedd y lle uchaf y medrent ei gyrraedd, yma y buont yn claddu y tymor hwnnw.

Yn 1984 bu sychdwr mawr arall, ac aeth yr afon yn isel iawn a phob ffos yn ardal Llyn Dinas a Llyn Gwynant yn hollol sych. Petai hi wedi gwneud dŵr yn y ffosydd hyn ddiwedd 1983, byddai'r pysgod wedi claddu yno ac mi fyddai pob sgodyn bach wedi ei golli. Ond gan fod y pysgod wedi methu dod i fyny, roeddynt wedi claddu yn yr afon fawr, ac er bod llawer, bid siŵr, wedi mygu yng ngro mân Dinas Ddu, yr wyf yr un mor siŵr fod llawer wedi byw ac felly heb gael eu claddu'n ofer.

Mae'n ddigon hawdd edrych yn ôl a gweld sut y digwyddodd pethau, ond a dweud y gwir, fe ddylai dyn fel fi a oedd yn byw mor agos at natur fod wedi rhagweld yr hyn oedd am ddigwydd. Onid oedd yr afon yn dweud yn ddigon plaen beth oedd i ddod ac yn gofalu bod y plant a aned iddi yn 1984 yn cael rhywfaint o siawns? Yr oedd hi wedi cau'r drws ar y pysgod yn Aberglaslyn, fel petai'n gwybod, tasai'r drws yn agored, y byddai pob sgodyn wedi claddu'n ofer.

John Llifon Roberts

Y gŵr hwn oedd y sgotwr gorau a fu ar afon Glaslyn yn ystod fy nghyfnod i fel cipar. Roedd mwy o bysgod i'w cael yn y chwedegau nag sydd i'w cael heddiw, a daliai John Llifon gannoedd o wyniadau mewn tymor. Gallaf fentro dweud ei fod yn dal cymaint o wyniadau mewn tymor yr adeg honno ag y mae holl sgotwyr y Glaslyn yn eu dal efo'i gilydd heddiw.

Gŵr o'r Nantmor oedd John Llifon; gŵr tawel a hoffai ei gwmni ei hun ar lan yr afon, ac fe fyddai'n sgota bron bob nos os oedd cyflwr yr afon yn iawn.

Fforman ar y Cyngor Sir oedd o wrth ei waith, ac fe gefais fwy o sgwrs efo fo wrth deithio yn ôl ac ymlaen ar hyd y ffordd nag ar lan yr afon. Yn ôl pob sôn, byddai'n dod adref o'i waith, yn cael bwyd ac yna'n mynd i'w wely am ychydig. Wedyn, byddai'n codi ac yn mynd allan i sgota nos. Dyna fyddai o'n ei wneud fwyaf — sgota nos, a hynny ar yr ochr groes i'r afon i bawb arall. Pant Dŵr Oer fyddai'r lle i sgota nos, i'r fan honno y byddai pawb, bron, yn mynd. Mae afon Glaslyn yn rhedeg gyda'r ffordd yn y fan honno; mae digon o le i barcio ceir yno ac mae'n lle hwylus heb lawer o waith cerdded.

Tra byddai'r sgotwyr i gyd ar ochr y ffordd i'r afon, ar yr ochr arall — ochr Hafod Llyn fyddai John Llifon, ac ar ôl meddwl, yr oedd yr ochr hon yn hwylusach iddo gan mai o'r Nantmor yr oedd yn dod.

Er mai sgota nos fyddai dull John o sgota, mi fyddai weithiau'n dod i fwlch Aberglaslyn ar li; nid ar bob lli, ond gallech fentro pan ddeuai John yno, y byddai pawb, bron, yn dal pysgod. Yr oedd fel pe bai'n gwybod yn union pa bryd i ddod, a gallech fentro y byddai mwy o ddal ar y lli hwnnw nag ar lifogydd pan nad oedd John yno.

Gwelais ef ar un lli yn sgota mewn pwll uwchben Llyn Coed Duon yng ngwaelod y bwlch. Roedd yna griw o ymwelwyr wedi casglu y tu ôl iddo, a John yn codi gwyniedyn ar ôl gwyniedyn o'r pwll. Pysgod rhyw dri chwarter pwys oeddynt, ac fel y câi un i'r lan, cymerai un o'r ymwelwyr y sgodyn gan roi hanner coron i John. Wn i ddim sawl hanner coron a gafodd o, ond mae'n siŵr ei fod wedi gwneud dwy neu dair punt yn braf y bore hwnnw. O'r holl bysgod a ddaliodd, un a gadwodd, a hwnnw'n eog pedwar pwys a hanner. Bûm yn sefyll wrth ei ochr am sbel y bore hwnnw, a dyma fo'n dweud wrthyf yn sydyn,

'Maen nhw'n gorffen rŵan, waeth mynd adref ddim.' Dyma fo'n rhoi ei fag ar ei gefn ac i ffwrdd oddi yno yr aeth. Ychydig iawn o bysgod a ddaliwyd weddill y dydd. Sut y gwyddai o hynny, wn i ddim.

Yr adeg honno, yr oedd rheol nad oedd neb i werthu pysgod ar ôl y dydd olaf o Awst, gan mai ar y diwrnod hwnnw y daw'r tymor rhwydo i ben, ac mae'n siŵr fod y rheol wedi'i llunio i geisio rhwystro potsiars rhag gwerthu pysgod. Er fy mod yn gwybod am fodolaeth y rheol, ni fu imi erioed geisio dal sgotwyr cyfreithlon yn gwerthu pysgod. Potsiars do, ond nid sgotwyr.

Er bod John Llifon yn ŵr tawel nad oedd yn gwneud drwg i neb nac yn dweud dim am neb, roedd rhai, fel sy'n naturiol ymysg sgotwyr, yn genfigennus ohono am ei fod yn dal cymaint o bysgod. Cofiaf fynd i fyny afon Glaslyn un prynhawn ym mis Hydref. Daeth sgotwr i'm cyfarfod ar y ffordd a bu'n achwyn bod John Llifon wedi gwerthu sgodyn naw pwys yn Nhan-yr-Onnen, Beddgelert y bore hwnnw. Ar fy ffordd i fyny i Lyn Gwynant yr oeddwn, ac ar y pryd roedd y Cyngor Sir wrthi'n adeiladu pont newydd dros y Glaslyn yn Nant Gwynant, a John Llifon oedd y fforman. Stopiais am sgwrs efo John ac ymhen ychydig, dyma ddweud,

'Clŵad eich bod chi wedi cael sgodyn go dda, John.'

'Do,' meddai, 'naw pwys a dwy owns. Ew, mi roedd o'n dda i swper efo parsli sôs.'

Ni chymerais arnaf fy mod yn gwybod i ble'r aeth y sgodyn, a chan y gwyddwn mai y bore hwnnw y gwerthwyd y sgodyn, doedd bosib fod John wedi ei gael i swper yn Nhan-yr-Onnen!

Er imi ddweud mai ar ei ben ei hun y byddai John Llifon yn hoffi sgota, doedd hynny ddim yn hollol wir. Byddai un dyn, sef ymwelydd o'r enw Rees yn mynd gydag o, ac roedd y ddau yn dipyn o ffrindiau. Ond bu Rees farw rhyw ddwy flynedd o flaen John Llifon. Gan Peredur, mab John Llifon, y cefais yr hanes canlynol, ychydig ar ôl i'w dad farw.

Yn ôl Peredur, roedd ei dad wedi mynd i sgota yn ôl ei arfer rhyw noson. Arferai sgota tan oriau mân y bore, ond y noson hon cyrhaeddodd adref rhyw awr ar ôl iddo adael y tŷ. Gwyddai ei wraig yn iawn fod rhywbeth yn bod yn ôl ei wedd. Roedd o'n wyn fel y galchen, a gofynnodd hithau iddo beth oedd yn bod.

'Dim byd,' atebodd yntau. 'Ga' i baned?'

Eisteddodd wrth y bwrdd ac yfed ei baned. Yna, ymhen sbel, dywedodd,

'Peth rhyfedd wedi digwydd ar lan yr afon heno. Roeddwn i newydd ddechrau sgota a dyma Rees yn gofyn, *"Have you caught anything, Jack?"* Atebais innau, *"No, not yet."*

"Never mind, Jack," medda fo, *"we'll be fishing together again, soon,"* a'r adeg honno y sylweddolais ei fod wedi marw.'

Rai dyddiau wedyn, cafodd John Llifon drawiad ar y galon a bu farw.

Nid stori ydi hon, ond ffaith hollol gywir a ddigwyddodd ar lan afon Glaslyn. Beth bynnag yw'r eglurhad, yr wyf i'n credu bod Rees wedi dod at John Llifon y noson honno. Cofiaf y diweddar Barchedig Stanley Owen, a fu'n weinidog yng nghapel Jeriwsalem, Cricieth am dros hanner canrif, yn pregethu un Sul. Nid wyf yn cofio testun ei bregeth, ond bob hyn a hyn, fe ddaw y darn yma o'i bregeth i'm cof:

'Y mae rhywbeth ar ôl y bywyd yma, oherwydd ni allaf yn fy myw gredu ein bod wedi cael ein rhoi ar y ddaear yma i farw.'

Bu'r geiriau hynny'n gymorth mawr i mi dros y blynyddoedd, a dyna pam yr wyf yn credu i Rees ddod at John Llifon y noson honno ar lan afon Glaslyn.

Ceunant Sych

Lle drwg am botsiars ar ddiwedd y tymor sgota oedd afon Teigl a'r Ceunant Sych.

Mae afon Teigl yn dod i afon Dwyryd wrth Ryd y Sarn, Ffestiniog ac mae'r Ceunant Sych yn llifo i mewn i'r Teigl rhyw hanner milltir yr ochr uchaf i Ryd y Sarn ac yna'n llifo i fyny drwy goedwig o goed llarwydd ac yn canlyn y ffordd fawr i fyny bron at y tro i'r Blaenau, rhyw filltir o Ryd y Sarn. Tua pum canllath fedr yr eogiaid a'r gwyniadau fynd i fyny'r Ceunant, oherwydd mae yna bistyll go fawr na allant ei neidio. O dan y pistyll mae llyn go ddwfn ac yn aml iawn, pan fydd dipyn o ddŵr i bysgod redeg i fyny'r afon, bydd llawer ohonynt yn hel yn y llyn. Ar lan y llyn yma y gwelodd Emrys a minnau filoedd ar filoedd o wyau pysgod — roedden nhw ym mhob man. Potsiars wedi bod yno y noson cynt ac wedi rhoi pelan (deinameit) yn y llyn ac wedi lladd y cwbl. Cawsom hyd i bedwar neu bump o bysgod go fach wedi marw yr ochr isaf i'r llyn wrth inni gerdded i fyny'r afon, ac yr oeddem yn methu'n lân â deall beth oeddynt oherwydd nid oedd marc i'w weld ar yr un ohonynt. Pan welsom y llanast ym mhwll y pistyll yr oedd hi'n amlwg iawn mai dod i lawr gyda'r dŵr a wnaeth y pysgod a welsom yn gynharach. Cliriwyd y cwbl yng nghyffiniau'r llyn gan y potsiars i geisio cuddio'r olion, ond nid oedd gobaith iddynt glirio'r holl wyau.

Cefais yr hanes wedyn gan ŵr o'r Blaenau. Dau ddyn ifanc oedd wedi rhoi'r belan yn y llyn tua naw o'r gloch y nos, ac yn ôl yr hyn a ddeallais, yr oedd dau botsiar arall yn cerdded i lawr y ffordd i fynd i afon Teigl ac roedd y ddau uwchben y llyn pan aeth y belan i ffwrdd. Un o'r ddau botsiar yma ddaeth â'r stori i'r Blaenau ac yn ôl pob sôn, yr oedd pawb yn flin iawn bod y ddau wedi defnyddio'r dull hwn o gael pysgod am ei fod yn golygu lladd y bach a'r mawr gan wneud drwg i'r afon gyfan.

Un noson, yr oedd Emrys, Arwyn Williams o Benrhyndeudraeth a minnau'n cuddio yn y coed ger afon Ceunant Sych, wrth ymyl pont droed fechan sy'n croesi'r afon. Dyma gar yn stopio ar y ffordd, a sŵn drws yn cau. Rai munudau'n ddiweddarach, sylwais ar sigarét yn cael ei thanio ar y llwybr yr ochr uchaf inni. Roedd yn dywyll fel y fagddu yn y coed, a'r tri ohonom yn cuddio'n ddistaw bach gan ddisgwyl yn eiddgar.

Aeth munudau heibio heb ddim i'w glywed ond sŵn dŵr yr afon ac ambell gar yn mynd heibio ar y ffordd. Yna, yn sydyn, aeth dau ddyn heibio, dim ond ychydig lathenni oddi wrthym. Aeth un at y bont a'r llall at yr afon yr ochr isaf i'r bont, rhyw bedair i bum llath o'n blaenau. Cododd y tri ohonom ar ein traed a throi tair lamp ar y dynion. Rhuthrodd un dros y bont ac aeth Arwyn ar ei ôl. Rhoddodd yr un yr oedd Emrys a minnau'n dal golau arno sgrech ofnadwy, a thaflodd y dryfer a oedd yn ei law i'n cyfeiriad. Yna, trodd a rhuthro am y bont ac aeth Emrys a minnau ar ei ôl. Fel yr oedd ar groesi'r bont, newidiodd ei feddwl a throi yn ei ôl, rhoi ei ben i lawr, a rhuthro amdanom fel tarw gwyllt. Wrth gwrs, gan fod dau yn erbyn un, i lawr â fo ar wastad ei gefn. Llwyddodd Arwyn i ddal y llall hefyd, felly dyna gopsan go dda ac fe gafodd y ddau eu cosbi'n reit llym yn llys ynadon y Blaenau rai wythnosau wedyn.

Bu Emrys a minnau'n trafod y noson honno lawer gwaith wedyn. Safem ein dau ochr yn ochr, efallai bod troedfedd neu droedfedd a hanner rhyngom, a phan daflodd y potsiar y dryfer atom, aeth rhwng y ddau ohonom a phlannu ei hun yn y ddaear, rai llathenni y tu ôl inni. Bu Emrys a minnau'n lwcus iawn na chawsom anaf go hegar y noson honno.

Rwy'n cofio un noson tua diwedd mis Tachwedd pan gefais alwad ffôn gan ddyn a wrthododd roi ei enw. Ni ddymunai roi ei enw, meddai, rhag ofn i rywun gael gwybod ei fod yn cario clecs i'r ciperiaid. Y neges a gefais oedd fod potsiar wedi dal sgodyn tua wyth pwys, a'i fod wedi ei guddio yn ymyl yr ogof oedd tua tri chan llath yn uwch i fyny'r Teigl na'r man ble'r oedd afon Ceunant Sych yn llifo iddi, a'i fod am ei nôl yn hwyrach y noson honno. Roeddwn yn adnabod y potsiar yn iawn ac wedi amau ers talwm mai dyna fyddai'n ei wneud. Yr oeddwn wedi dal y gŵr hwn ddwywaith o'r blaen, ac er imi fynd i'r afael ag o amryw o weithiau wedyn, methais yn glir â'i ddal gyda sgodyn nac erfyn yn ei feddiant.

Cyn gynted ag y rhoddodd y dyn y ffôn i lawr, ffôniais Emrys ac ailadrodd y neges yr oeddwn newydd ei chael. Dywedais wrtho hefyd fy mod yn siŵr imi adnabod y llais ond na fedrwn roi wyneb iddo. Daeth Emrys draw ar ei union ac i ffwrdd â ni am Ryd y Sarn, gan godi Arwyn Williams ar y ffordd.

Cuddiwyd y fan ac i ffwrdd â ni heb ddefnyddio golau o gwbl, i fyny'r Teigl at yr ogof a chael lle go lew wrth ei hymyl i wardio gan fod y dyn wedi dweud wrthyf ym mhle yn union yr oedd y sgodyn wedi ei guddio. Buom yn y fan honno am oriau, a dim yn digwydd. O'r diwedd dyma gael llond bol ac aethom i chwilio am y sgodyn. Chwiliwyd ym mhob twll a chornel ond methwyd â chael hyd iddo, felly dyma droi am adref yn waglaw.

Arwyn gafodd y stori ryw bythefnos wedyn gan ŵr o'r Blaenau a weithiai gydag ef.

Bythefnos cyn imi gael yr alwad ffôn, bu Gruff Hughes, Chwilog, cipar o'r enw Brian Hukin o Gaernarfon ac Emrys a minnau yn y Ceunant Sych yn hwyr iawn, gan lwyddo i ddal tri photsiar a ddefnyddiai lamp a gaff. Un o'r tri hynny oedd wedi bod yn siarad mewn tafarn yn y Blaenau. Dywedodd wrth ei gyfeillion fel yr oedd wedi rhoi galwad ffôn i mi i ddweud bod sgodyn wedi'i guddio a bod pump ohonynt yn disgwyl amdanaf, ond 'mi ddoth tri o'r diawliaid yno, felly ddaru ni ddim dangos ein hunain.'

Roeddwn yn lwcus i allu cael gafael ar Emrys ac Arwyn. Pe na baent ar gael, byddwn wedi mynd yno ar fy mhen fy hun heb yn wybod i neb i ble yr oeddwn wedi mynd, a does dim dwywaith y byddwn wedi cael curfa go hegar. Yn waeth na hynny, efallai y byddwn wedi bod yno am ddyddiau yr adeg honno o'r flwyddyn, gan mai pur anaml y bydd neb heblaw potsiars yn cerdded y darn hwnnw o'r afon yn ystod y gaeaf.

Llyn Cwmorthin

Mae'r llyn yma, sy'n dipyn o faint, tua milltir yr ochr uchaf i Danygrisiau mewn cwm go iawn â llechweddau go serth o'i amgylch i bob cyfeiriad. Mae llwybr yn mynd heibio i'r llyn i fyny'r llechwedd ym mhen draw y cwm, a phan ddewch at y grib, yr ydych yn chwarel Croesor. Yno, fe â'r llwybr yn ei flaen dros y mynydd, gan ddod allan ar y ffordd ger Hafodydd Brithion a Llwyn yr Hwch ym mhen uchaf Nant Gwynant.

Cofiaf gerdded i fyny'r inclên toc ar ôl cinio un dydd Sul, a phan ddeuthum at geg y llyn, sydd wrth ben uchaf yr inclên, gwelais ddau sgotwr yno. Roedd un ar y lle glas bron ym mhen draw'r llyn ar y chwith imi, a'r llall ar y tomenni rwbel llechi yr ochr draw. Penderfynais fynd i weld yr un ar yr ochr chwith yn gyntaf, a dyma gerdded ar hyd y llwybr tuag ato. Maldwyn Roberts o'r Blaenau oedd y sgotwr yma ac yntau, fel finnau, â diddordeb hefyd mewn hela llwynogod. Bûm yn siarad efo Maldwyn am sbel, ac yna sylwais fod y sgotwr arall yn symud tua gwaelod y llyn a'r inclên.

Gadawais Maldwyn, ac mi es yn reit fachog am yn ôl, gan feddwl y byddwn yn cyfarfod â'r sgotwr cyn iddo adael y llyn. Fel y dywedais, roeddwn yn mynd yn reit fachog ond roedd y sgotwr yn mynd yn gynt ac wrth iddo nesáu at ben yr inclên dechreuodd redeg. 'Helô,' meddwn wrthyf fy hun, 'does gan hwn ddim trwydded ac mae'n ceisio dianc.' Wel, doedd o ddim yn mynd i gael dianc heb ras a dyma gymryd y goes ar ei ôl. Pan gyrhaeddais ben yr inclên, mi welwn ef rhyw hanner canllath o'm blaen ac yn dal i redeg. Dyma fynd ar ei ôl — nid wyf yn credu imi redeg mor gyflym yn fy mywyd. I lawr allt bob cam a sgidiau go gryfion am fy nhraed. Roedd fy nhraed yn dyrnu ar y ffordd o lechi mân. Rhedwn mor gyflym nes imi feddwl unwaith neu ddwywaith fy mod am fynd â 'mhegla i fyny, gyda'r sgidiau hoelion fel petaent yn fy ngwthio yn fy mlaen. Sylweddolais fod y pellter rhyngof i a'r ffoadur yn lleihau, a rhedais bob cam i lawr i waelod yr inclên a daliais ef ychydig lathenni o'r lle y parciais y fan. Er mawr syndod imi, gwelais mai bachgen rhyw dair ar ddeg oed oedd o. Roeddwn wedi colli fy ngwynt gymaint fel na fedrwn ddweud yr un gair, bron, ond rhywsut neu'i gilydd llwyddais i ddweud wrtho fy mod eisiau gweld ei drwydded. Dangosodd hi imi, a gwelais ei bod yn iawn.

Gofynnais iddo,

'Beth oedd dy gêm di'n rhedeg o'r llyn pan welaist ti fi?'

'Doeddwn i ddim,' meddai'r bachgen. 'Dwi'n hwyr yn nôl cinio ac mi ga' i gweir gan Dad.'

Wn i ddim a gafodd o gweir gan ei dad, ond mi wn i un peth, roedd o wedi gwneud imi roi cweir i'm traed, oherwydd buont yn brifo am ddyddiau wedyn.

Cofiaf siarad â hen fachgen a oedd yn sgota yng Nghwmorthin un prynhawn braf yn yr haf. Mae'n siŵr fod yr hen ŵr yn ei saithdegau, ac yn ôl cyflwr ei enwair, doedd honno fawr fengach. Genwair *split cane* oedd hi, ac fe allwn weld bod rhyw fath o fathodyn ar ei bôn ond fedrwn i ddim darllen yr hyn oedd arno.

'Genwair handi,' meddwn wrtho.

'Wedi bod yn hen enwair dda,' atebodd. 'Ei hennill hi wnes i, wyddoch chi. Dal y sgodyn mwyaf yn llynnoedd Cambrian rhyw dymor flynyddoedd yn ôl.'

'Cystadleuaeth Siop Morris tacla sgota?' holais.

'Ia, ond cofiwch, wnes i ddim ei hennill yn deg chwaith, a dweud y gwir. Wedi bod i fyny yn styllennu yn Llyn Adar oeddwn i rhyw ddiwrnod. Un sgodyn a gefais, a hwnnw'n sgodyn pum pwys. Pan es â fo adref, gwelodd rhai o'r hogia fo, a mynnu fy mod yn mynd â fo i'r Llan. Ofynnodd neb imi sut o'n i wedi'i ddal o. Roedd pawb yn meddwl mai efo genwair yr oeddwn wedi'i gael.'

Mae'r hen ŵr yn siŵr o fod wedi marw ers blynyddoedd bellach, ond ys gwn i a yw'r teulu wedi cadw'r enwair er cof amdano?

Un tro, daeth cwynion i law fod yna styllennu yn digwydd yn Llyn Cwmorthin ar nosweithiau Sadwrn, felly roedd yn rhaid mynd yno i geisio dal rhywun er mwyn cau ambell geg. Cuddiais y fan ar ôl iddi dywyllu a cherddais i fyny at y llyn. Cerdded dipyn o gwmpas y llyn i ddechrau, a chanfod nad oedd neb yno. Wardio wedyn, tua hanner ffordd, a disgwyl i rywun ddod. Roedd hi'n noson dawel braf, heb chwa o wynt ac roedd dŵr y llyn o'm blaen yn gorwedd yn dawel fel gwydr. Sŵn ambell i sgodyn yn neidio ac ambell i fref dafad yn y mynydd oedd yr unig beth a glywn, ac fe wyddwn, gan ei bod mor dawel, y byddwn yn siŵr o glywed rhywun yn dod drwy'r llechi.

A hithau'n siŵr o fod tua dau o'r gloch y bore, yr oeddwn bron â marw eisiau smôc, ond fedrwn i ddim cael un wrth y llyn rhag ofn i rywun weld golau'r sigarét cyn i mi ei glywed yn dod. Arferai pentref bach fod yn y cwm flynyddoedd yn ôl, ac mae'r hen gapel yno o hyd, er nad oes ond ei furiau ar ôl, a meddyliais ei fod yn lle da i fynd am smôc heb i neb fy ngweld. Dyma ymlwybro i fyny at y capel yn y tywyllwch ac i mewn â mi trwy'r agoriad a fu unwaith yn ddrws. Wardiais wrth ochr y mur, a thaniais sigarét. Wrth dynnu arni ar fy nghrwcwd yn y fan honno, dechreuais feddwl sut le oedd yno hanner can mlynedd a mwy yn ôl. Dychmygais weld y pulpud a'r pregethwr, y sêt fawr a'r blaenoriaid. Beth fyddent yn ei ddweud, tybed, petaent wedi gweld rhywun yn smocio yng nghefn y capel? Wrth feddwl am y pethau yma, daeth rhyw euogrwydd mawr drosof. Diffoddais y sigarét ac allan â mi yn ôl at lan y llyn.

Er disgwyl tan doriad gwawr, ni ddaeth neb yno y noson honno, ond ychydig ddyddiau wedyn, pan oedd Emrys gyda mi, fe lwyddodd y ddau ohonom i ddal styllenwyr ac fe dawelodd y cwynion.

Dal Slywod

Yn ystod y chwedegau, fe gafodd Herbert Evans syniad y byddai'n beth da i gael y ciperiaid i ddal slywod ac yna eu gwerthu er mwyn cael elw i Gronfa Bysgota'r Bwrdd Dŵr. Ar wahân i wneud elw i'r gronfa, golygai dal y slywod fod mwy o fwyd i'r pysgod yn yr afonydd. Credai pe gallai gael tunnell o slywod o'r afon y byddai llawer mwy o fwyd i'r pysgod am fod llai o bwysau i'r afon ei gynnal.

Buom yn dal slywod drwy'r gaeaf hwnnw. Y dull o'u dal oedd efo peiriant cynhyrchu trydan (*generator*) ar blât ar ben polyn. Byddai un dyn yn cerdded drwy'r afon efo'r polyn, ac un arall wrth ei ochr efo rhwyd yn dal y slywen pan oedd honno'n dod allan o'r cerrig neu'r mwd. Wrth gwrs, ar ôl cael sioc fel hyn, roedd y slywen yn anymwybodol a gwaith hawdd oedd rhoi'r rhwyd oddi tani. Ond cyn gynted ag y codwyd y slywen o'r dŵr yr oedd yn dod ati'i hun ac roedd y stori yn bur wahanol wedyn.

Daliwyd miloedd ohonynt gennym, o tua throedfedd a mwy o hyd. Y fwyaf a ddaliwyd gennym oedd slywen chwe phwys, a honno o afon Glaslyn. Yn y llynnoedd sydd yn Butlins, Pwllheli (neu y Starcoast World fel y gelwir y lle heddiw) y cawsom y nifer fwyaf o slywod. Buom yno am ddyddiau. Braidd yn ddwfn oedd y dŵr mewn mannau ond cawsom dipyn o gymorth. Un diwrnod pan oeddem wrthi, pwy ddaeth atom ond Syr Billy Butlin ei hun. Ar ôl bod yn sgwrsio ag ef ac wedi iddo ddeall yr hyn yr oeddem yn ei wneud, sylwodd fod llawer o sbwriel yn y llyn, pethau fel hen fasgedi sbwriel, tuniau a phob math o 'nialwch arall. Dywedodd y byddai'n gwagio'r llyn er mwyn ei lanhau. Er mwyn gwneud hynny, cafodd y Frigad Dân i ddod yno i sugno'r dŵr o'r llyn. Wrth i'r dŵr fynd i lawr, wel sôn am slywod! Daliwyd cannoedd os nad miloedd ohonynt, a'r rheiny'n slywod mawr — ychydig iawn o rai bach oedd yno.

Mae'n siŵr fod y slywod hyn wedi dod â thipyn o arian i'r Awdurdod, ond nid yr Awdurdod yn unig ddaru elwa arnynt. Roedd wal fechan o gwmpas y llynnoedd, ac mae'n siŵr gen i fod miloedd o wersyllwyr wedi eistedd arni yn ystod eu gwyliau yno dros y blynyddoedd. Wrth eistedd yno, roeddent yn colli arian mân o'u pocedi, a rhyngom cawsom hyd i rai punnoedd mewn arian mân. Petai gennym beiriant i ganfod metel fel sydd i'w gael heddiw, rwy'n siŵr y byddem wedi cael ffortiwn fechan.

Am ryw reswm na allaf ei gofio, daeth y cyfnod dal slywod i ben, ac ymhen ychydig wedyn daeth Indiad o'r enw Ramond Sihna i'r brifysgol yn Lerpwl. Testun ei draethawd ymchwil yno oedd slywod, a bu wrthi am dair blynedd. Yn ystod y cyfnod hwn, buom yn dal slywod iddo bob mis. Rhaid oedd cael slywod o dri safle ar bob afon unwaith y mis (ar wahân i afonydd Llŷn ac Eifionydd), o'r gwaelod, o'r canol ac o'i phen uchaf. Câi slywod o Sir Fôn, afon Conwy ac o rywle yng Nghlwyd hefyd. Mewn tair blynedd agorodd 30,000 o slywod i weld pa beth yr oeddynt yn ei fwyta, a gallai ddweud faint oedd oed pob slywen wrth edrych ar y benglog.

Credai pawb fod slywod yn bwyta yr un bwyd â physgod, ond dim ond 1% o fwyd pysgod y maent yn ei fwyta mewn gwirionedd. Eu prif fwyd yw slywod eraill. Camgymeriad yw lladd slywod mawr felly, oherwydd os na fydd slywod mawr yn yr afon bydd mwy o slywod bach yno gan na fydd rhai mawr yn eu bwyta.

Guto a'r Gymraeg

Yng nghanol y chwedegau, fe ddaeth Griffith Henry Hughes o Chwilog yn gipar llawn-amser yn ardal Caernarfon. Bu'n gweithio am flynyddoedd cyn hynny yn Hufenfa Rhydygwystl, Chwilog ond bu hefyd yn gipar rhan-amser am rai blynyddoedd.

Gŵr o'r enw Bill Bayliss oedd cipar yr ardal honno ar y pryd, a bu Guto yn gweithio gydag ef am rai blynyddoedd hyd nes i Bill gael trawiad ar y galon. O ganlyniad i'r drawiad, bu'n bur wael ac fe fu'n rhaid iddo roi'r gorau iddi fel cipar.

Wedi i Bill fynd, bu tri neu bedwar o giperiaid newydd yno, ond nid oedd yr un ohonynt am aros yn hir iawn. Sais oedd un o'r rhain ac roeddwn yn ei adnabod yn dda am iddo fod yn gweithio i'r C.E.G.B. yn y ddeorfa bysgod yn Nhrawsfynydd am gyfnod. Ambell dro, byddai'n dod i Lyn Tanygrisiau i wneud diwrnod o waith cipar. Wedi gorffen gyda'r C.E.G.B bu'n gipar ar Lyn Alaw yn Sir Fôn am sbel, ac oddi yno y daeth i Gaernarfon yn gipar.

Gwyddwn yn iawn am gampau'r Sais cyn iddo ddod, ac ni fu Guto'n hir iawn cyn deall chwaith. Rhedeg i'r swyddfa at y penaethiaid i gario clecs oedd drwg y Sais pan oedd yn Nhrawsfynydd, a dyna oedd ei ddrwg yng Nghaernarfon hefyd.

Ar y pryd, roedd gan Guto gi Alsatian a gafodd gan y

Bwrdd Dŵr, a hwnnw'n gi wedi ei ddysgu i amddiffyn ei feistr, yn union yr un fath â'r cŵn sydd gan yr Heddlu. Wel, roedd y Sais eisiau ci a bu'n cwyno a chwyno. Câi Guto hwyl ar gipera gyda'r ci, ac er bod llawer o botsio yn digwydd, roedd pethau'n well nag y buont.

Wn i ddim beth ddigwyddodd, ond aeth yr Awdurdod â'r ci oddi ar Guto a chael un arall i'r Sais. Fel y byddech yn disgwyl, roedd Guto'n gandryll ac fe gâi ein cydymdeimlad ni'r hogiau yn llwyr, achos fe wnâi waith da. Roedd Guto yn dipyn o ddaeargi, ond un fel arall oedd y Sais. Bron na fyddech yn dweud bod arno ofn ei gysgod, ac ni wnaeth ci unrhyw les iddo. Clywais hanes Guto a'r Sais yn mynd un noson ar ôl car yr oeddynt yn amau oedd yn cynnwys potsiars a oedd wedi bod yn potsio'r afon. Pedwar dyn ac un ddynes oedd yn y car ac ar ôl ei stopio a dechrau holi ble'r oeddynt wedi bod dyma'r ddynes allan o'r car a rhoi clustan i'r Sais. Rhedodd hwnnw yn ôl i'r fan a chau'r drws, gan adael Guto ar ei ben ei hun. Mynd i nôl plismon oedd ei esgus wedyn, ond eistedd yn y fan oedd o pan ddaeth Guto yn ei ôl iddi. Nôl plismon yn wir! Wrth ochr Guto y dylai fod, a'r ci wrth ei ochr yntau. Âi rhywbeth fel hyn o dan groen Guto, oherwydd gwyddai na allai ddibynnu ar ei bartner petai pethau'n mynd yn ddrwg.

Un diwrnod, cafodd Guto alwad i'r swyddfa — roedd y pennaeth eisiau ei weld. Y Sais oedd wedi bod yno yn achwyn bod Guto yn siarad Cymraeg efo potsiars a dywedodd y pennaeth wrth Guto ei fod i siarad Saesneg o hyn ymlaen. Cododd hyn wrychyn yr hen Guto. Roedd o wedi bod yn gipar ers rhai blynyddoedd bellach ac wedi dal amryw o'r hogiau fwy nag unwaith, a chan mai Cymry oeddynt ni welai reswm dros siarad Saesneg efo nhw.

Ar y ffordd allan o'r swyddfa digwyddodd Guto daro ar y dyn undeb, a dywedodd wrth hwnnw beth a ddywedwyd. Nid oedd Guto'n gwneud cŵyn swyddogol, dim ond dweud yn ddigon diniwed yr hyn a ddywedwyd wrtho. Beth bynnag, y noson ganlynol roedd Guto gartref yn Chwilog pan ganodd y ffôn. Dafydd Wigley oedd yno, eisiau ei weld drannoeth. Meddyliodd Guto mai eisiau siarad am ryw sgota oedd yn mynd ar werth ar waelod afon Gwyrfai oedd Dafydd Wigley, ond yn lle hynny, eisiau gwybod beth oedd wedi digwydd yn y swyddfa yr oedd o. Bu cryn helynt ar ôl hyn ac mi glywais fod y pennaeth wedi ei alw i'r brif swyddfa yng Nghaerdydd i'w egluro ei hun. Guto gafodd y bai am dynnu sylw Dafydd Wigley at yr helynt, ond hyd heddiw y mae'n dweud yn bendant mai Eric Thomas y Swyddog Undeb ddywedodd wrth yr Aelod Seneddol. Ni fu'r Sais gyda ni yn hir iawn wedyn — cafodd ei symud i ardal arall. Ffyrnigwyd Guto gymaint nes iddo ysgrifennu ei holl gofnodion yn y Gymraeg o'r dydd hwnnw pan gafodd alwad i'r swyddfa a gorchymyn i siarad Saesneg nes iddo ymddeol o'i swydd.

Anghofiaf i fyth noson cinio ymddeol Guto yn y *Ranch* yn Llanystumdwy. Ar wahân i Guto, roedd John Williams, cipar afon Conwy, hefyd yn ymddeol ac roedd y cinio i'r ddau ohonynt, gyda'r lle yn llawn o giperiaid a'u teuluoedd, ffrindiau, a dau neu dri o'r penaethiaid o'r swyddfa.

Fe gododd hwn a'r llall i wneud araith fechan, ac i ddweud pethau neis am y ddau, ac yna fe ddaeth tro Guto i ymateb ac fel hyn yn union y dechreuodd ei araith yn Saesneg:

'*Well, it's been a pleasure to work with most of you.*'

Gwyddai pawb yn iawn beth oedd o'n ei feddwl ac roedd pawb ond y penaethiaid yn chwerthin yn arw. Guto yntê, roedd yn rhaid iddo fo gael y gair olaf.

Potsiars Caernarfon

Roedd yna gymeriadau ar y naw o gwmpas Caernarfon ers talwm gydag enwau reit lliwgar ar rai ohonynt, enwau fel Now Black, Dafydd Indian, Cheeky Bug, Coc Jew, Iesu Grist a Ffango Bach, ac mi fyddai Bill Bayliss yn eu hadnabod i gyd.

Rwy'n cofio un noson yn dda; y dydd cyntaf o Fedi, 1964. Cofiaf y dyddiad yn iawn achos hon oedd y noson gyntaf imi fynd allan ar ôl claddu fy nhad. Roedd Bill a minnau yr ochr uchaf i Ysbyty Eryri yn cadw gwyliadwraeth am hogiau yn rhwydo'r afon. Câi Bill lawer iawn o drafferth gyda'r dull yma o botsio. Am hanner awr wedi dau y bore dyma weld golau ar yr afon, yr ochr isaf i ffatri Peblig. Dod i lawr yr afon oedd y golau ac fe gredai Bill mai gweithwyr shifft nos oeddynt. Roedd y golau ar y dorlan arall o'r lle yr oeddem yn wardio ac felly hawdd iawn inni oedd mynd i fyny yr ochr uchaf i'r golau, croesi'r afon a wardio ar y llwybr i'w disgwyl ar eu ffordd yn ôl am Peblig. Ymhen ychydig, dyma ddau ddyn i fyny'r llwybr yn ôl am y gwaith, a dyma'u dal. Yn eu meddiant roedd lamp a gaff, ond dim un sgodyn.

Cafodd y ddau gosb o £5 yr un yn llys Caernarfon ac ar ôl yr achos digwyddwn siarad â rhywun y tu allan i'r llys pan ddaeth y ddau allan. Daeth un ohonynt ataf â gwên ar ei wyneb ac ysgwyd llaw efo mi.

'*No hard feelings*. Gwneud dy waith oeddat ti,' meddai, ac fe wyddwn nad oedd ddicach wrthyf. Pan welodd y llall beth oedd ei bartner newydd yn ei wneud, daeth yntau ataf. Sglaffyn o foi mawr ydoedd hwn, ac meddai mewn llais uchel i bawb ei glywed,

'*No hard feelings*,' ac wrth ysgwyd fy llaw, mi ddywedodd yn ddistaw bach, 'Mi wela' i di yn rhywle eto, y bastad.'

Dywedodd Bill fod yna bysgod i'w gweld yn Llyn Glan 'Rafon, yr ochr isaf o dipyn i Lanrug, a gwylio y llyn hwnnw oedd hi i fod y noson honno. I ffwrdd â ni, cuddio'r fan a chroesi rhyw ddau gae at y llyn. Dyma wardio yn nhin y clawdd lle nad oedd ond gwrych ac ychydig lathenni rhyngom a'r llyn. Ar ôl bod yno am ryw awr, dyma weld golau car yn dod ar hyd y ffordd, led cae o'r afon. Stopiodd y car a diffoddodd y golau. Erbyn hyn yr oedd yn un o'r gloch y bore ac yn dywyll iawn. Rai munudau wedi i'r car stopio clywsom y ffens yn ysgwyd rai llathenni o'n cuddfan. Clywais Bill yn sibrwd yn fy nghlust eu bod wedi cyrraedd. Dyma wrando i geisio clywed sŵn yn yr afon ond nid oedd dim byd i'w glywed, dim ond distawrwydd llethol. Yna, clywsom chwiban bach ysgafn o gyfeiriad y llyn ac un arall yn ateb islaw. Rai munudau wedyn, dyma sŵn y ffens yn gwichian eto, ac er ei fod mor agos atom, yr oedd yn rhy dywyll inni weld dim. Dyma roi siawns arni. Cododd Bill a minnau ar ein traed efo'n gilydd a rhoi golau lampau ar y lle. Gwelwn dri dyn o'n blaenau, dau yn cario sachau. Dyma hi'n ras ac mi ddaliais un fel ag yr oedd ar fin disgyn i dwll. Euthum ag o yn ôl at Bill a safai ger llwyn o goed yn nes at yr afon.

'*Did you get anybody, Bill?*' holais.

'*Yes, I've got one here,*' atebodd, a dyna lle'r oedd y

gŵr ar wastad ei gefn ar y llawr. Yr oedd wedi rhedeg yn ei hyll i goeden ddraenen ddu. Sut na chollodd ei lygaid, wn i ddim, gan fod drain duon yn sownd yn ei wyneb a'i dalcen, a'i wyneb yn waed i gyd. Gollyngodd y gwŷr y sachau ar y cae. Roedd rhwyd yn un ac eog a gwyniedyn yn y llall.

Mae'n rhaid eu bod wedi rhwydo'r llyn heb i ni eu clywed. Nid oeddwn yn adnabod y gŵr a ddaliais, ond roeddwn yn adnabod y llall — cymeriad o'r enw Sammy Stringer. Wedi i Sammy godi ar ei draed ni chawsom gyfle i'w holi — fo ddechreuodd ein holi ni! Mynnai gael gwybod beth oedd ein gêm yn dychryn pobl. Yr oedd ganddo berffaith hawl i gerdded y caeau i chwilio am fadarch! Dywedais wrtho ei bod hi'n amser rhyfedd ar y naw i hel madarch, a gofynnais iddo egluro'r rhwyd a'r pysgod. Gwadodd fod ganddo unrhyw beth i'w wneud â nhw; hel madarch oedd o. Holais ef ynglŷn â'r sawl redodd i ffwrdd a mynnodd mai'r wraig oedd hi ac aeth ati i'n blagardio am ein bod wedi ei dychryn. Aethom â'r ddau i Swyddfa'r Heddlu yng Nghaernarfon. Dal i fynnu dweud stori'r madarch a wnâi Sammy, a'r dyn arall yn dweud yr un peth. Aed â'r ddau o flaen eu gwell ac fe gafodd y ddau eu dirwyo. Pledio'n euog a wnaethant, ac ni chlywyd sôn am fadarch yn y llys.

Nid wyf yn gwybod sut mae hi ar afon Menai y dyddiau yma, ond ar un adeg, cawsom drafferthion di-rif efo potsiars.

Mae'r afon dros filltir o led ac mae yna filltiroedd lawer o dorlan ar y tir mawr ac ar ochr Sir Fôn. Pan ddaw'r llanw i mewn, daw o gyfeiriad Belan i fyny at Gaernarfon, a phan mae'n troi, fe red fel arall. Fel arfer, bydd y potsiars yn cychwyn o Gaernarfon, ac wedi mynd allan i ganol yr afon, byddant yn gollwng rhwyd rhyw ganllath o hyd i'r dŵr ac wedyn yn mynd efo'r lli. *Drift netting* yw'r enw ar y dull hwn o rwydo. Ânt gyda'r lli am ryw ddwy filltir neu fwy ac yna tynnant y rhwyd i mewn i'r cwch a mynd yn ôl i ddechrau wedyn. Er mwyn mynd yn ôl, rhaid defnyddio peiriant, gan fod y lli yn rhy gryf iddynt rwyfo heb ddod i'r lan, ac ni wnânt hynny rhag ofn iddynt gael eu gweld. Ar noson dawel, fe synnech sut y mae sŵn yn cario dros ddŵr, a sŵn y peiriant fyddai'n dweud wrthym ble yr oeddynt os oedd hi'n rhy dywyll neu pe bai'r cwch yn rhy bell allan inni allu ei weld drwy'r sbieinddrych. Heddiw mae gan y cipar offer gweld yn y tywyllwch (*night intensifiers*), ac mae'n gwneud ei waith yn haws o lawer. Mi fûm yn defnyddio'r teclyn hwn lawer gwaith, ac fe synnech beth sy'n bosib ei weld, hyd yn oed os yw'n dywyll fel bol buwch.

Griff Hughes oedd cipar yr afon. Does gennyf ddim cof iddo ddal neb ei hun ond fe ddrysodd gymaint arnynt nes bod ganddynt ofn dod â'r pysgod i'r lan, felly glanio'n slei a chuddio'r pysgod fyddent a dod i'w nôl wedyn dros y tir. Doedd gan Guto fawr o obaith dal neb ar ei ben ei hun gan fod y lle mor fawr. Ni ellid disgwyl iddo fod ym mhob man. Gwnaed trefniadau i roi cyrch go iawn ar y lle a chael aelodau o glwb pysgota lleol ac amryw o giperiaid i fod yno yn ogystal â dau blismon, sef Oscar o Gaernarfon a John Jones, hen blismon Garndolbenmaen yn y chwedegau.

Cofiaf y noson yn glir. Rhwng pawb, yr oedd pedwar ar bymtheg ohonom wedi ein gosod fesul dau o harbwr Caernarfon i lawr at y Foryd ger Belan. John Jones y plismon a minnau oedd i lawr wrth y Foryd, a ni ein dau glywodd y cwch gyntaf. Mae'n rhaid bod y cwch wedi rhoi un *drift* cyn inni gyrraedd ac fe glywsom y peiriant yn tanio, a gwelsom y cwch yn mynd yn ôl am Gaernarfon. Rhoddwyd gwybod i'r lleill yr hyn yr oeddem wedi ei weld, a chan fod cymaint ohonom allan ar hyd y lan, ni fu'r cwch o'r golwg tra âi yn ôl i ddechrau'r *drift* ac yna dod gyda'r lli am y Foryd. Gwnaeth hynny wedyn, ac ar yr ail dro collwyd golwg arno gan ei fod wedi mynd drosodd i ochr Sir Fôn. Yna dyna alwad ffôn gan Guto i ddweud bod y cwch yn rhwyfo i mewn i le a elwir yn Tŷ Calch. Roedd Tŷ Calch rhyngom ni a Guto, felly dyma fynd i'r fan honno. Pan oeddem bron â chyrraedd, gwelsom y cwch yn mynd allan yn ôl i'r afon ac yna'n troi am Gaernarfon. Daeth Guto a dau arall i lawr i'n cyfarfod, yr oedd ganddo syniad reit dda ym mhle y glaniodd y cwch a hefyd dywedodd ei fod wedi gweld rhywun yn rhedeg i'r lan ac wedyn yn mynd yn ei ôl i'r cwch.

Dechreuodd y pump ohonom chwilio yn y tywyllwch am nad oedd fiw inni gynnau'r golau. Ar ôl chwilio am dipyn bach, dywedodd Tom Christy, un o'r ddau oedd efo Guto,

'Something's under my feet here.'

Teimlais yr union le gyda'm troed a chael bod y lle yn feddal. Crafais y cerrig i un ochr a chanfod sach gyda chwe eog mawr ynddi wedi'i chuddio yno. Gair ar y radio wedyn i ddweud bod y pysgod yn ein gofal ac i gadw golwg ar y potsiars. Roedd yna ddeuddeg o ddynion rhwng Tŷ Calch a'r harbwr, a dau arall wrth yr harbwr yn eu disgwyl. Daliwyd tri dyn o Gaernarfon ac fe gafodd y tri ddirwy yn llys ynadon Caernarfon.

Rhyw bum gwaith y bûm yn llwyddiannus ar afon Menai (yng nghwmni eraill, wrth gwrs) a bob tro, yr oedd y pysgod wedi eu cuddio ar y lan yn rhywle cyn i'r cwch ddod i'r harbwr. Roedd gan y potsiars bedwar neu bump o gychod, ac yn fuan iawn daeth y ciperiaid i'w hadnabod, ac os nad oedd un o'r cychod yno mi fyddem yn gwybod pwy oedd ei berchennog.

Yn gynnar un noson ym mis Hydref, tua hanner awr wedi wyth i naw y nos, dyma gael golwg ar y cychod a chanfod bod un ohonynt allan. Gan ei bod yn noson go wyntog, tybiwn nad oedd wedi mynd yn bell ac felly mae'n siŵr mai wedi mynd i gyfeiriad Felinheli yr oedd. Gadawyd dau gipar, sef Trefor Jones a Wally Hanks i gadw golwg yng ngheg yr harbwr, ac aeth Tom Christy a minnau gyda'r fan i gyfeiriad Felinheli i gadw golwg. Roedd hi'n noson ddigon hegar, yn sych ond y gwynt yn gryf iawn. Dyma'i wardio yn nhin y clawdd i gadw golwg ar le y gwyddom iddynt lanio ynddo o'r blaen ond inni eu colli y tro hwnnw.

Doedd dim i'w weld am sbel go lew, yna clywsom sŵn peiriant cwch a hwnnw'n dod yn nes. Ymhen ychydig gwelsom y cwch, a thri pherson ynddo yn dod o ochr Sir Fôn ac yn mynd i lawr am Gaernarfon. Cadwyd golwg ar y cwch nes iddo fynd heibio, yna neidio i'r fan a ras am Ddoc Victoria, a chadw golwg wedyn nes iddo fynd heibio i'r fan honno ac yna ei ganlyn ar droed at geg yr harbwr. Gwelodd Trefor a Wally y cwch yn glanio yr ochr isaf i'r bont droed sydd yng ngwaelod harbwr Caernarfon, a dyma alwad ar y radio,

'Maen nhw'n cario sachau i'r lan, rydan ni'n mynd atyn nhw rŵan.'

Wedi cael y neges, rhedodd Tom a minnau oddi wrth ymyl yr *Anglesey Hotel* ar draws y bont. Wedi cyrraedd at Trefor a Wally, gwelsom eu bod wrthi'n siarad efo'r tri dyn gan eu bod yn adnabod y tri yn iawn, ac fel y cyrhaeddais, dyma un yn dweud wrthyf,

'Sut ma'i? 'Dan ni heb fod allan efo rhwyd heno, wedi bod yn nôl tatws ydan ni.'

Ac yn wir, dyna oedd yn y sachau, tatws o gae ar ochr Sir Fôn oedd yn dod i lawr at lan afon Menai, a'r tri wedi bod yno yn nôl tatws yn y tywyllwch ac wedi cael pedair neu bum sachaid.

Dro arall, cafwyd gwybodaeth fod y potsiars wedi newid stondin ac yn mynd allan o'r Felinheli. Aeth tua chwech ohonom i gadw golwg un noson, gan weld cwch yn mynd allan. Gadawyd dau ohonom yno, ac aeth y pedwar arall yn y fan dros Bont Brittania i Sir Fôn ac yna i lawr at y dŵr i gadw golwg. Cyn hir, fe'u gwelsom yn dod i lawr tuag atom, heb fod ymhell o'r lan ar ochr Sir Fôn. Gan ddefnyddio'r offer *night intensifier* gallwn weld y cwch yn blaen. Ar ôl cadw golwg ar y potsiars am sbel, daethom i ddeall nad rhwydo yr oeddynt y noson honno, ond mynd o gwmpas potiau cimychiaid sgotwyr eraill. Gwelsom hwy'n codi tri neu bedwar o flaen ein trwynau! Doedd dim dwywaith mai eiddo pobl eraill oedd y potiau oherwydd does neb yn mynd o gwmpas ei botiau ei hun am dri o'r gloch y bore!

Un diwrnod cefais alwad i Gaernarfon. Roedd Griff Hughes a Trefor Jones wedi cael gwybod bod Sammy Stringer wedi mynd â physgod i'w dŷ. Roedd y ddau wedi cael gwarant i chwilio'r tŷ ac wedi mynd yno, ond gwrthodai Sammy agor y drws i'w gadael i mewn.

Pan gyrhaeddodd Emrys fy mrawd a minnau yno, roedd Guto wrth y drws ffrynt a Trefor wrth y drws cefn. Bu Sammy gryn amser cyn agor y drws, ac yn ôl Trefor, yr oedd dŵr y toiled wedi ei dynnu ugeiniau o weithiau tra bu'n sefyll wrth y drws cefn yn disgwyl i

Sammy ei agor. Wedi cael mynediad i'r tŷ, ni welwyd golwg o'r un sgodyn, ond fe gafwyd hyd i un cen (*scale*) ar sedd y toiled!

Oes, mae yna hogiau ar y naw tua Caernarfon 'cw ac maen nhw'n byw'n reit fras ar eogiaid, tatws a chimychiaid!

Helyntion ar afon Dwyryd

Am rai blynyddoedd, bu'n rhaid imi gadw cyfrif o nifer y pysgod oedd wedi claddu ym mhob afon, felly yn ystod Tachwedd a Rhagfyr byddwn yn cerdded yr afon yn fanwl iawn, ac yn cerdded yn y dŵr er mwyn canfod y claddfeydd. Byddwn yn gwneud hyn yn weddol aml, oherwydd gallai pysgod fod yn claddu ar gefn cladd arall, gan chwalu'r gladd gyntaf.

Y gwyniadau sydd yn claddu gyntaf, gan ddechrau ym mis Hydref ac erbyn diwedd Tachwedd maent bron i gyd wedi gorffen. Yna fe fydd yr eog yn claddu, ac nid yw'n beth anarferol gweld eog yn claddu ym mis Ionawr. Ar afonydd fel Dwyfor ac Erch, ble mae yna bysgod sy'n dod i mewn i gladdu yn unig, maent i'w gweld yn claddu at ddiwedd Chwefror, ac ambell un hyd yn oed ym mis Mawrth. Wn i ddim os yw'r pysgod yma'n dda i rywbeth i'r sgotwr; dônt i'r afon ymhell ar ôl i'r tymor sgota gau, ac maent wedi mynd yn ôl i'r môr cyn i'r tymor ailddechrau.

Cofiaf gerdded afon Dwyryd un prynhawn braf ym mis Rhagfyr. Roeddwn wedi gadael y fan wrth Bont Maentwrog ac wedi cerdded i fyny i dir Dolmoch. Gan fod y dŵr yn rhy ddwfn imi gerdded ynddo wrth Llechrwd, euthum i'r lan ar dir Dolmoch. Mae yna glawdd llanw ar hyd yr afon ar dir Dolmoch, a phan ddeuthum o wely'r afon i ben y clawdd llanw, gwelais

Aneurin Davies y ffermwr yn brasgamu ar ei hyd a chi defaid wrth ei sawdl. Wedi'm gweld, gwaeddodd Aneurin arnaf i fynd ato ac mi es, gan feddwl bod dafad yn y dŵr. Ond beth oedd yno ond tri o lanciau mewn tair canŵ ar ganol Llyn Las Ynys. Llanciau o'r Blaenau oedd y tri, ac roeddwn yn adnabod un yn weddol dda. Dywedodd Aneurin wrthyf ei fod wedi dod ar draws y tri cyn iddynt roi y canŵs ar yr afon ac wedi dweud wrthynt am ddod oddi yno. Gafaelodd mewn un canŵ ond llwyddodd y tri i'w dynnu o'i ddwylo. I'r afon â'r tri, wedi mynnu cael mynd i lawr er iddo ddweud wrthynt nad oeddynt i fynd. Doedd gen i ddim busnes o gwbl yn y ffrwgwd yma, ond gan fy mod yn adnabod un o'r llanciau dywedais wrth hwnnw,

'Gwranda Melfyn, Aneurin bia'r tir y ddwy ochr i'r afon yn y fan yma. Fo hefyd bia'r hawl ar yr afon, felly mi fasa'n well iti ddod i'r lan.'

Dechreuodd y llanc gega arnaf gan ddweud nad oedd neb yn mynd i'w rwystro fo rhag mynd ar yr afon. Aeth un o'r ddau arall i'r lan ar yr ochr draw ond dal i fynd wnaeth y lleill, gydag Aneurin Davies, a oedd ar y pryd yn 78 mlwydd oed, yn brasgamu ar eu holau gan weiddi arna' i,

'Dos i ddweud wrth Gwilym beth sy'n digwydd.'

Gwilym oedd ei fab ac fe'i gwelwn ef yn y buarth y tu draw i'r cae, yn gwylio yr ochr arall i'r wal. Euthum i ddweud wrtho.

'O ia,' oedd yr unig beth a ddywedodd. I mewn â fo i'r tractor ac i ffwrdd ar draws y cae i waelod Dolmoch, gan fynd mor gyflym nes bod y tractor yn bownsio. Gwelais y tractor yn cyrraedd y clawdd llanw, bron yng ngwaelod Dolmoch ac yna aeth dros y clawdd ac o'r golwg i'r afon.

Cerddais yn ôl gan nad oeddwn eisiau gwybod dim am yr helynt, rhag ofn imi gael fy nhynnu i drwbwl wrth fusnesa.

Ychydig eiliadau wedi imi weld y tractor yn diflannu dros y clawdd llanw o'm golwg, clywais weiddi uchel, ond aros ar lan Las Ynys a wnes hyd nes y gwelais Aneurin a Gwilym yn dod yn ôl. Euthum i lawr at y lle yr oeddwn wedi gadael yr afon wedyn, i ailddechrau cerdded a chwilio am gladdfeydd.

Roeddwn at fy ngliniau yng nghanol yr afon pan welais Melfyn a'r llanc arall yn dod i fyny'r dorlan bellaf gan gario'r canŵs. Dywedodd Melfyn wrthyf,

'Deud wrth y mab 'na y lapiai'r tractor rownd ei gorn gwddw fo pan wela' i o.'

'Pam na fasat ti wedi'i gneud hi i lawr am fan'cw pan gefaist y cyfle?' gofynnais iddo.

'Dwi wedi talu £160 am y canŵ yma,' atebodd Melfyn, ac yna cefais y stori. Yn y man ble gwelais y tractor yn diflannu pan aeth dros y clawdd llanw, mae rhyd go fas, ac fel yr âi'r canŵ drwy hwnnw, roedd Gwilym wedi gyrru'r tractor i'r dŵr ac wedi mynd dros du ôl canŵ Melfyn ac wedi ei falu'n rhacs. Dyna pa bryd y clywais y gweiddi. Pan glywais yr hanes, yr oeddwn yn chwerthin gymaint fel na allwn ei ateb am sbel ond yna dywedais wrtho mai arno ef oedd y bai am hyn i gyd, am fynd yn groes i ddymuniad y perchennog.

Euthum â'r neges i Gwilym, ond yr unig beth a ddywedodd oedd, 'O ia,' gyda gwên lydan ar ei wyneb.

Welais i mo lanciau'r Blaenau a'u canŵs ar ddŵr Dolmoch wedyn ac rwyf yn dal i ddweud hyd heddiw, petaent wedi mynd i ofyn am ganiatâd i fynd ar yr afon yn hytrach na mynd heb ofyn, byddent wedi ei gael yn gwbl fodlon.

Ffermwr arall y deuthum yn ffrindiau mawr efo fo ar afon Dwyryd oedd Rhys Davies, Glan 'Rafon (dim perthynas i deulu Dolmoch) ac fe gefais y fraint o gario ei arch o'r capel i'r hers ar ddydd ei angladd, rai blynyddoedd yn ôl bellach, ac yntau yn 90 oed. Stori a gefais gan Rhys sydd gen i rŵan:

'Ro'n i'n fy ngwely un noson pan ddaeth cnoc ar y drws am ddau o'r gloch y bore. Rhoddais fy mhen drwy'r ffenest a throi golau lamp ar y sawl oedd yn cnocio. (Nid wyf yn cofio beth ddywedodd Rhys oedd enw'r gŵr wrth y drws.) Gofynnais iddo beth oedd o eisiau. Dywedodd fod buwch yn methu dod â llo ac imi ddod ar unwaith. Gwyddwn yn iawn nad oedd gennyf fuwch yn ymyl llo ond mynnai fy mod yn dod.

Gwisgais fy nillad ac i lawr â mi at y gŵr. Holais ble'r oedd y fuwch, ac fe aeth â mi i lawr at waelod y llyn yn fa'ma. Dyma fo'n sefyll a dweud, "Dim buwch sydd yma ond sgodyn, a dwi eisiau help i'w gael o allan."

Wel, roeddwn wedi gwylltio efo fo. Onid oedd gan y stad (Tan-y-bwlch) giperiaid o gwmpas ym mhob man, a thenant oeddwn i yr adeg honno, felly petawn i'n cael fy nal mi allai fod yn ddigon imi gael fy hel oddi yno. Dyma fo'n rhoi golau ar y dŵr. Wel am sgodyn oedd yn gorwedd wrth ochr y lan! Rhoddodd fachyn yn y sgodyn, a daliodd y ddau ohonom arno, a sôn am dynnu! Ond torri allan wnaeth y bach.

Ddeuddydd yn ddiweddarach roedd y sgodyn wedi marw mewn llyn, a thwll mawr yn ei ochr ble'r oedd y bach wedi bod. Fe dynnodd gŵr o'r Blaenau ei ddillad a mynd i'w nôl. Doedd o ddim gwaeth, ac mi aeth ag o adref. Wyddost ti, roedd o'n pwyso 62 pwys, a dyna'r eog mwyaf welais i yma.'

Stori arall a glywais yn cael ei hadrodd oedd yr un amdano'n codi rhyw fore, a llanw go uchel wedi bod yn ystod y nos. Gwelodd sgodyn oedd o leiaf pymtheg troedfedd o hyd yn Llyn Glan 'Rafon o flaen y tŷ. Bu'r sgodyn yno am rai oriau nes daeth llanw arall i roi digon o ddŵr iddo adael y llyn a mynd yn ôl i'r môr. Clywais y stori lawer gwaith, ac mi welais ef ar y teledu yn ei hadrodd.

Mae'n siŵr fod y stori yn wir a'i fod wedi gweld rhywbeth, ond tybio rwyf i mai llambedyddiwr (*porpoise*) oedd yno ar ôl yr eogiaid, a'i fod wedi ei adael yn y llyn wrth i'r llanw fynd i lawr.

Y Ras Geir

Cysgu'n sownd yn fy ngwely yr oeddwn i un noson pan ganodd y ffôn. Deffrois yn sydyn. Gwelais ei bod yn hanner awr wedi dau ac roeddwn yn methu'n lân â deall beth oedd yn bod i orfod fy neffro ar awr mor annaearol. Emrys fy mrawd oedd ar y ffôn. Roedd o wedi gweld fan potsiar wedi ei pharcio ar ochr y ffordd rhwng Abererch a Phwllheli, ac roedd o'n daer mai wedi mynd i godi rhwydi yr oedd y potsiar, rhai a osodwyd ganddo yn gynharach y noson honno. Er ei bod hi'n dawel iawn yr oedd hi'n glawio'n drwm, ac erbyn imi gyrraedd Emrys cawsai afael ar yr Heddlu, ac roedd dau heddwas mewn car arall gerllaw yn disgwyl i'r fan ddod yn ôl i Abererch.

Disgwyl i'r fan ddod heibio i'r groeslon ar ochr Pwllheli yr oeddem pan welsom ei golau'n dod. Roeddwn yn barod i fynd i geisio stopio fan y potsiar, ond pan welodd hwnnw fy fan i, rhoddodd ei droed ar y sbardun ac i ffwrdd â fo. I ffwrdd â minnau ar ei ôl, yn dynn wrth ei sodlau a'r Heddlu hwythau hefyd yn eu car yn dynn wrth fy sodlau innau, yn nhraddodiad gorau ffilmiau Hollywood!

Trodd y fan i'r chwith yn sydyn yng nghanol y pentref a gwaeddodd Emrys,

'Pasia fo, pasia fo neu mi'n gwneith ni.'

Dyma newid gêr a rhoi fy nhroed ar y sbardun gan

gychwyn ei basio, ond yn sydyn, ac yn hollol annisgwyl, dyma fo'n troi i'r dde a minnau bron iawn wrth ei ochr. Wrth gwrs, doedd dim gobaith i mi ei osgoi ac mi hitiais o yn ei ddrws a'i wasgu yn erbyn y clawdd.

Euthum allan o'r fan ac yn syth am fan y potsiar, ac meddai,

'Be 'dach chi'n gneud peth fel'na, hogia bach?' ac mi gofiaf yr ateb gwirion a roddais iddo,

'Wnest ti ddim rhoi'r *indicator* i ddangos dy fod am droi, naddo?'

Mae'n dda mai felly y cafodd ei stopio oherwydd mewn sach ar y sedd wrth ei ochr yr oedd tri sgodyn mawr, a phetai wedi cael y blaen arnom, mae'n siŵr y byddai wedi cyrraedd drws y tŷ efo'r pysgod cyn inni ei ddal.

Ar ôl y ddamwain, bu'n rhaid llenwi ffurflen i'r cwmni yswiriant, a than y cwestiwn a holai beth oedd achos y ddamwain mi ysgrifennais,

'*As a result of carrying out instructions of Head Bailiff,*' ac yr oedd hyn yn hollol wir. Emrys oedd y pen cipar yn yr ardal honno, a fo ddywedodd wrthyf am basio'r potsiar, felly yr oedd yn iawn imi gael defnyddio fy mrawd fel esgus, am mai dyna achosodd y ddamwain!

Gwanwyn Roberts

Un llanc a botsiai afon Dwyryd oedd Gwanwyn Roberts o Danygrisiau. Daliais ef deirgwaith i gyd. Y tro cyntaf imi wneud hynny daeth yn rhydd, ond cafodd ddirwy yr ail a'r trydydd tro. Er ei fod yn botsiar yr oeddwn yn dipyn o ffrindiau ag ef. Gwyddai yn iawn beth a ddigwyddai pe daliwn ef, ond chwarae teg iddo, doedd o ddim dicach wrthyf am hynny.

Cofiaf gadw golwg ar Lyn Mwd yn rhan isaf afon Dwyryd un prynhawn. Gwelais Gwanwyn yn cyrraedd yno ar ei foto-beic. Gadawodd y moto-beic wrth ochr y ffordd ac yna aeth at lan Llyn Mwd. Bu yno am dipyn yn chwilota yng ngwreiddiau'r coed sydd ar lan yr afon, cyn dod yn ôl at ei foto-beic ac i ffwrdd ag o am Faentwrog. Hanner awr yn ddiweddarach, fe'i gwelais eto, y tro yma yn cerdded o Faentwrog i lawr i gyfeiriad Llyn Mwd. Meddyliais wrthyf fy hun,

'Mae o wedi gweld sgodyn ac mae o'n dod i'w nôl o. Mi ga' i o rŵan!'

Pan gyrhaeddodd Gwanwyn Lyn Mwd, diflannodd i frigau'r coed ar y lan. Arhosais ble'r oeddwn am sbel er mwyn rhoi amser iddo wneud y dryfer yn barod gan mai dyna oedd ei arf potsio.

Disgwyliais am ryw dri neu bedwar munud ac yna rhedeg ar draws y cae ac ar fy mhen i'r fan y diflannodd iddo. Dyna lle'r oedd Gwanwyn yn eistedd yn y brigau uwchben y dŵr yn cael smôc, a gwên lydan ar ei wyneb.

'Sut ma'i, Edgar?' meddai. 'Ro'n i'n meddwl y basat ti o gwmpas yn rhywle.'

Wel, wel, roeddwn wedi cael ail unwaith eto. Un castiog oedd o, ond hoffus serch hynny.

Weithiau byddwn yn cael trafferth efo rhywun yn gollwng gwynt o deiars y fan. Wrth lwc, un olwyn fyddai yn ei chael hi fel arfer ac er ei fod yn creu dipyn o drafferth, fe allai pethau fod yn waeth.

Un diwrnod, digwyddodd rhywbeth gwaeth na gollwng gwynt. Roeddwn wedi cuddio'r fan mewn cae o dan Blas Tan-y-bwlch ac wedi mynd i gadw golwg ar yr afon. Pan ddeuthum yn ôl at y fan, mi welais fod rhywun wedi ceisio torri i mewn iddi ac wedi malu dwrn y drws cefn. Dyma'r tro cyntaf i'r fan gael ei difrodi. Chwiliais am Gwanwyn i'w holi tybed a wyddai pwy oedd wedi gwneud, ond ni wyddai, ac fe ddywedais wrtho,

'Rwyt ti'n gwybod na fydda i'n gas efo neb a 'mod i'n cymryd y gwaith fel gêm, a phur anaml y bydda i'n ennill. Os ydi'r gêm malu yma am fynd yn ei blaen, mi wna' inna yr un peth i'ch cerbydau a'ch moto-beics chi, felly gad i'r hogia wybod — gadael llonydd i'r fan neu mi fydd hi'n rhyfel.'

Mae'n rhaid eu bod nhw wedi cael y neges oherwydd ni chefais drafferth wedyn, ddim hyd yn oed gyda gollwng gwynt.

Tom Pugh Jones

Dyma ichi gymeriad. Llanystumdwy oedd cartref Twm ac yn ôl y dywediad, 'dyn ei filltir sgwâr' oedd o. Bu'n sgota afon Dwyfor ar hyd ei oes a gwyddai am bob twll a chornel o'i gwely, o bont Llanystumdwy i'r môr, ond fawr ddim o'r bont i fyny. Daliodd Twm filoedd o wyniadau efo'i enwair, ond ni ddaliodd eog erioed. Gwyddwn am lyn rhyw filltir yr ochr isaf i Ddolbenmaen ag amryw o eogiaid ynddo. Un prynhawn yn 1969, euthum â Twm i fyny yno i edrych a fedrai ddal un. Buom ein dau yn sgota am sbel, ac yn sydyn, dyma fo'n dweud,

'Edgar, dwi wedi bod yn fa'ma o'r blaen.'

Safai â'i gefn at yr afon gan edrych i gyfeiriad bryniau Ystum Cegid.

'Dwi'n cofio rŵan, mi fûm yma efo'r *Home Guard* amser Rhyfel.'

Byddai gan Twm ddigon o fachau a phlu sgota bob amser, ond pur anaml y byddai yn eu prynu. I lawr o'r bont am y môr byddai llawer iawn o sgotwyr yn sgota nos, ac yn aml yn colli eu bachau a'u plu yn y coed. Âi Twm i lawr yr afon yn y bore gan lwyddo i gael y gêr sgota o'r coed.

Cae Criw a sgotai Twm ar li, ac fe gariodd bentyrrau o gerrig yma ac acw wrth y lan fel bod y dŵr yn cronni, gan lwyddo i'w wneud yn lle da i sgota ar li. Yr hyn a

157

wnâi Twm wedyn oedd rhoi sach â cherrig ynddi yn y dŵr, ac yna byddai bachau'r sgotwyr yn mynd yn sownd yn y sach ac fe'u câi pan âi'r lli i lawr.

Garddwr oedd Twm, ac fe âi o gwmpas efo beic bach, ond roedd gan Wil ei frawd drwydded i ddefnyddio rhwyd yng ngheg afon Dwyfor, ac yno y treuliai Twm oriau lawer o'i amser.

Enillodd Twm Gwpan Sialens afon Dwyfor rhyw flwyddyn efo sgodyn 13 owns. Tymor go sych oedd hi, a neb wedi rhoi sgodyn i mewn am y gwpan. Ei hennill am y sgodyn mwyaf a ddaliwyd yn ystod y dydd a wnaeth, gan lwyddo i'w ddal hanner awr cyn iddi dywyllu ar ddiwrnod olaf y tymor. Mae'n siŵr ei fod yn gwybod nad oedd neb wedi rhoi sgodyn i mewn ac aeth â fo yn syth at yr ysgrifennydd i'w bwyso. Bûm yn gwmpeini i Twm y noson y derbyniodd y cwpan yng nghinio blynyddol y clwb pysgota. Wel am noson! Rwy'n siŵr nad oedd Twm yn cofio mynd adref.

Un da am stori oedd Twm, a byddai ambell un yn stori go goch. Yr orau imi ei glywed yn ei hadrodd oedd hon:

'Roeddan ni'n rhwydo yng ngheg yr afon ar noson dywyll yn ystod y rhyfel, ac roedd yna eroplên uwch ein pennau yn mynd rownd a rownd. Ro'n i'n amau ei bod hi ar goll a dyma fi'n tanio sigarét ac yna ei phwyntio fel hyn i gyfeiriad Penrhos. Fe aeth yr eroplên, a'r bore wedyn yr oeddan ni wrthi'n tynnu'r rhwyd unwaith eto pan ddaeth dyn dieithr atom. Gofynnodd pwy oedd wedi pwyntio efo sigarét y noson cynt. Dywedais mai fi oedd wedi gwneud, a phwy oedd o ond peilot yr eroplên, a dyma fo'n diolch i mi am ei roi ar ben ffordd achos roedd o ar goll.'

Gorffennodd y stori gan ddweud 'Ia Duw, achan,' a gwên lydan ar ei wyneb.

Y Pibwyr

Mae afon Cynfal rai milltiroedd o hyd o'i cheg i'r fan ble y cwrdd ag afon Dwyryd ger Dolmoch. Ond ni all yr eogiaid na'r gwyniadau nofio i fyny fawr mwy na rhyw hanner milltir oherwydd mae yna raeadr go fawr, tua ugain troedfedd o uchder na all y pysgod fynd drosto. Wedi cyrraedd y fan yma, maent yn aros yn y llyn dwfn iawn sydd wrth droed y rhaeadr.

Roedd tri dyn wedi rhoi pelan yn y llyn yma un prynhawn. Cefais afael ar Roy Bellringer, perchennog y *Queens* yn y Blaenau ar y pryd (ac wedyn y Pengwern yn Llan), a oedd yn aelod ffyddlon o Glwb Pysgota'r Cambrian. Daeth Roy gyda mi i geisio dal y troseddwyr. Gwelsom y tri yn cerdded oddi wrth yr afon i fyny ochr serth ac yn diflannu i ganol rhedyn. Cyn gynted ag yr aethant o'r golwg, dyma fi ar eu hôl a Roy y tu ôl imi. Wedi mynd dipyn i mewn i'r rhedyn deuthum at glawdd bychan, a phan edrychais dros y clawdd, dyna lle'r oedd y tri yn eistedd ar y cae, tua phum llath oddi wrthyf. Cododd un ohonynt, gafaelodd mewn sgodyn mawr ac i ffwrdd ag o, ond llwyddais i gael gafael yn y ddau arall. Roedd un ohonynt yn gynghorydd sir, ac yn berchennog chwarel, ac wrth fynd drwy ei bocedi mi gefais hyd i ddau sgodyn a oedd yn amlwg newydd eu dal.

Wrth imi ymestyn am y llyfr bach, cododd y

cynghorydd ar ei draed yn sydyn a meddyliais ei fod am geisio dianc. Rhuthrais amdano a gafael ynddo gyda'm dwy law. Gwaeddodd,

'Dwi ddim yn mynd i ddenig, dwi ddim yn mynd i ddenig.' Yna tynnodd ei foilar siwt a'i drowsus a gwyrodd i lawr. Wedyn, dyma fo'n pibo fel enfys dros y rhedyn a'r boilar siwt. Roeddwn i i fod i fynd drwy ei bocedi i gyd ond gan fod y boilar siwt yn bibo i gyd fedrwn i wneud dim ond cyfogi a'i alw yn 'sglyfaeth diawl'. Roedd gan Roy Bellringer well stumog na fi ond ni allai hwnnw stopio chwerthin.

Rhyw dro arall, tua thri o'r gloch y bore, daliodd Emrys fy mrawd, Griff Hughes a minnau dri Sais efo rhwydi yn eu meddiant ar draeth Afon Wen. Gan fod y tri yn hollol ddieithr i mi, dyma adael Emrys i hel y tair rhwyd a oeddynt yn eu defnyddio tra aeth Guto a minnau â'r tri i Swyddfa'r Heddlu ym Mhwllheli. Bu un ohonynt yn ddigon digywilydd i gwyno bod tu ôl y fan yn rhy fudur iddo fynd iddi. Ni wrandawais ar ei lol; i mewn â fo, ac i ffwrdd â ni i Bwllheli. Wedi cyrraedd Pwllheli aed â'r tri i Swyddfa'r Heddlu a chanfod bod yr un a wrthodai fynd i gefn y fan yn drewi fel ffwlbart ac wedi gwneud llond ei drowsus.

Bu'r ddau achos yn y llys, un yn y Blaenau a'r llall ym Mhwllheli, ond soniais i ddim fod y ddau wedi pibo mewn dychryn!

Gwyliau a Gwenwynwyr

Os byddwn yn cymryd gwyliau yn ystod y tymor sgota,
yna ym mis Mai y digwyddai hynny fel arfer. Un
flwyddyn fe gymerais wythnos ym mis Awst pan oedd y
dŵr braidd yn isel yn yr afon. Ar ddiwrnod cyntaf yr
wythnos honno, sef dydd Sul, cefais lonydd tan gyda'r
nos. Ffôniodd Emrys i ddweud bod pobl ddieithr wedi
cymryd tŷ fferm Abercin, Llanystumdwy am
bythefnos, ac fe gafodd wybod bod yno ddau ddyn a
oedd wedi bod yn sgota dwylo yn rhan isaf afon
Dwyfor. (Sgota dwylo yw dal pysgod gyda'r dwylo o
dan gerrig ar y dorlan.) Gofynnodd imi ddod i gadw
golwg arnynt efo fo y bore wedyn.

Gwyliau neu beidio, bu'n rhaid mynd i gadw golwg
ar y darn o'r afon o dan dŷ Abercin. Buom yn gwylio
am deirawr, ond ddaeth neb yno, felly adref â ni.
Ffôniodd Emrys wedyn y noson honno i ddweud ei fod
wedi cael gwybod i'r ddau fod wrthi wedyn a
gofynnodd a allwn fynd ato unwaith eto y bore wedyn.
Digwyddodd yr un peth, teirawr o wylio a neb yn dod.
Buom yno ddydd Mercher a dydd Iau hefyd.

Bu'n glawio'n drwm nos Iau felly roedd gormod o
ddŵr i sgota dwylo. Er hynny, roedd Emrys yn
benderfynol o'u dal a ffôniodd fore Gwener a gofyn imi
ddod i'w weld. Gan fod gormod o ddŵr yn yr afon,
eisiau gwylio tŷ Abercin yr oedd o, ac felly y bu. Buom

yn gwylio'r tŷ a gwelsom y teulu'n mynd allan. Cadwodd Emrys olwg rhag ofn iddynt ddod yn ôl a bûm innau'n chwilota drwy'r bin lludw. Cefais hyd i dri phen ac asgwrn cefn gwyniadau ynddo, felly roedd Emrys yn iawn — yr oeddynt wedi bod ar yr afon.

Wedi cael hyd i'r dystiolaeth, mi es i adref, ac aeth Emrys am Bwllheli i weld yr heddlu.

Pan ddaeth y teulu adref, disgwyliai Emrys a phlismon amdanynt. Gwadodd y ddau ddyn iddynt fod yn potsio, a gwadu eu bod wedi bwyta pysgod yn ystod y cyfnod y buont yn Abercin. Aed â'r ddau at y bin lludw a dangos y tri phen iddynt. Er mawr syndod i Emrys a'r heddwas, dyma'r ddau yn cyfaddef y cwbl. Cafodd y ddau eu cosbi yn llys ynadon Pwllheli.

Bu hanes yr achos yn y papur lleol, a rhai dyddiau wedyn, daeth Dic Bach, Tŷ Dŵr, Pentrefelin ataf a dweud,

'Er mwyn iti 'i gael o yn dy record, mi gefais sgodyn pedwar pwys yn afon y pentre 'ma efo fforch deilo y noson o'r blaen. Mae'r dynion lludw wedi mynd â'r efidens.'

Meddyliwn ar y pryd mai tynnu fy nghoes oedd Dic, ond ddwy flynedd wedyn cefais hyd i sgodyn pum pwys wedi marw yn afon y pentref ac rwy'n rhyw amau bod Dic wedi dweud y gwir wrthyf.

Ym mis Medi 1972, daeth galwad ffôn tua un ar ddeg y nos gan Herbert Evans, Pont y Pant, Dolwyddelan yn gofyn i Emrys a minnau ei gyfarfod yn Nolwyddelan ar unwaith, ac y byddem yn cael gwybod beth oedd ar droed bryd hynny.

I ffwrdd â'r ddau ohonom am Ddolwyddelan a chyfarfod â Herbert Evans, John Williams (cipar yr ardal) ac Emrys Lloyd Price yno.

Fel y dywedais eisoes, does dim sicrwydd o wyliau yn y gwaith hwn. Ar ei wyliau yr oedd Emrys Lloyd Price ar y pryd ond fe ddaeth yn syth pan alwyd arno.

Eglurodd Herbert Evans iddo dderbyn galwad ffôn o Macclesfield yn dweud bod rhai o'r ardal honno yn dod i fyny i wenwyno afon Lledr yn hwyrach yn ystod y nos. Ni wyddai'r person hwn pa ddarn o'r afon oedd i'w gwenwyno, dim ond iddo glywed eu bod am wneud hynny.

Cwrdd ar y sgwâr yn Nolwyddelan a wnaethom a bu cryn drafod rhwng Emrys Price a Herbert Evans ynglŷn â pha ran o'r afon a fyddai'n debygol o dderbyn y driniaeth. Roedd yna bysgod ym mhob man ar hyd yr afon, ac yn y llyn a elwir yn Llyn Sanctuary ym Mhont y Pant roedd tua dau gant o eogiaid — a dim ond un llyn oedd hwnnw. Er methu gwybod ble i fynd, rhaid oedd dechrau yn rhywle ac fe ddywedodd Emrys Price iddo weld car yn mynd i lawr y ffordd fach gefn o Ddolwyddelan i Bont y Pant tua hanner nos, felly penderfynwyd dechrau y ffordd honno.

Wedi teithio rhyw hanner ffordd ar ei hyd, gwelsom gar wedi ei barcio yn y cae wrth ochr y ffordd, a phobl ynddo. Aethom at y car a chanfod tri dyn, a dechreuodd Herbert Evans sgwrsio efo nhw. Wedi sgwrsio am sbel, gofynnodd iddynt o ba le y daethant. 'Macclesfield' oedd yr ateb.

Pan glywodd Herbert Evans y gair 'Macclesfield' dyma fo'n estyn y warant ac yn dweud mai ciperiaid oeddym. Mynnodd eu bod yn agor bŵt y car i weld beth oedd ynddo.

Pan agorwyd y bŵt, roedd yno rwyd fawr i'w rhoi ar draws yr afon, a bron i saith pwys o'r gwenwyn *Cymag*, gyda llawer ohono wedi ei roi mewn saith o fagiau bach yn barod i'w taflu i'r afon.

Wel! dyma beth oedd lwc — dal y dynion cyn iddynt wneud llanast ofnadwy. Gwyddai'r gwyddonwyr yn Highfield (Caernarfon) faint o ddŵr a lifai yn yr afon ac yr oeddynt wedi amcangyfrif y byddai tua milltir a chwarter o'r afon wedi ei gwenwyno y noson honno gyda phob sgodyn a phry wedi eu lladd.

Yn Llanrwst y bu'r achos ac roedd disgwyl y buasent yn cael eu cosbi'n drwm, ond dim ond rhyw £50 o ddirwy a gawsant. Heddiw, byddent wedi cael carchar a cholli'r car.

Collais oriau o'm gwyliau yn gwylio tŷ Abercin, ond cefais un diwrnod cyfan yn eu lle. Efallai, oni bai fod Emrys Lloyd Price ar ei wyliau ac yn digwydd bod wrth y tŷ y noson honno, na fyddai neb wedi gweld y car yn mynd heibio, ac y byddai'r dynion dieithr wedi gwneud llanast go iawn yn yr afon.

Tyngu Llw

Yn 1976 cefais fy ngyrru ar gwrs wythnos i Langadog, ger Aberhonddu. Daeth yno giperiaid o bob rhan o Gymru, tua phymtheg neu ugain ohonom. Pwrpas y cwrs oedd ein paratoi ar gyfer gwahanol broblemau a allai ddod i'n rhan.

Ron Millichamp oedd enw'r athro, ac un bore cawsom ein rhannu'n grwpiau o ddau neu dri. Rhoddodd ddarn o bapur gyda thestun arno i bob grŵp.

Caradog Jones o Lanwnen, pen cipar afon Teifi oedd fy mhartner i. Y testun a gawsom oedd,

'Dyn yn dod gyda char i lan y môr i godi rhwyd ac yn dal eog mawr, yna'n rhoi'r rhwyd a'r pysgodyn yn y car. Wedi i Caradog a minnau fynd ato, yr oeddem yn gweld bod ganddo enwair sgota yn y car, a thaerai'r dyn mai wedi dal yr eog efo genwair yr oedd o cyn dod i nôl y rhwyd. Sut fyddem yn mynd o'i chwmpas hi i gael achos yn erbyn y dyn?'

Roedd gennyf brofiad reit dda o ddal dyn gyda rhwyd ar y traeth, a rhyngom ein dau fe lwyddwyd i lunio achos da iawn yn erbyn y dyn.

Aethom wedyn i lys ynadon Aberhonddu er mwyn mynd trwy'r achos. Nid llys smalio oedd hwn, ond llys go iawn gyda'r ynadon a'r clerc arferol yn cymryd pob achos yn ddifrifol, fel petaent yn achosion go iawn.

Yn y llys, roedd yna feicroffon ym mocs y tystion yn ogystal â chamera i nodi pob dim a wnaed ac a ddywedwyd, er mwyn inni gael gweld, wedi inni fynd yn ôl i'r ysgol, sut hwyl a gafodd pawb a pha feiau a gyflawnwyd yn y llys.

Cafwyd tua chwe achos cyn i achos Caradog a minnau gael ei gynnal. Sylweddolais mai Beibl iawn oedd yn y llys ac nid oeddwn yn hapus ynglŷn â hynny. Ni ddymunwn roi fy llaw ar y Beibl a dweud bod pob gair o'r dystiolaeth a roddwn 'y gwir, yr holl wir a'r gwir yn unig' oherwydd roedd pob gair yr oeddwn am eu dweud yn gelwyddau.

Gofynnais i'r clerc a fyddai'n fodlon newid y Beibl am lyfr arall. Synnodd y clerc at hyn, a gofynnodd i Caradog beth oedd ei ddymuniad ef. Atebodd Caradog gan ddweud y byddai'n rhoi ei lw er nad oedd yn hapus iawn i wneud hynny. Wedi dadlau dipyn, newidiwyd y Beibl am lyfr arall.

Yn ystod yr holl flynyddoedd y bûm yn gipar, dim ond unwaith y dywedais gelwydd yn y bocs, a damwain hollol oedd hynny. Yn Llys Dolgellau y digwyddodd hyn. Roedd y diweddar giperiaid Ivor Hughes a Trefor Thomas o Ddolgellau a minnau wedi mynd at ddau ŵr a oedd yn amlwg yn potsio ar afon Wnion. Ni chawsom unrhyw beth amheus yn eu meddiant, ac felly bu'n rhaid gadael iddyn nhw fynd. Funudau yn ddiweddarach, cefais hyd i eog pymtheg pwys wedi ei guddio dan fonyn coeden. Aethom ar eu holau ond llwyddodd y ddau i gyrraedd adref cyn inni gael gafael arnynt.

Dyma fynd i'w gweld yn eu cartrefi. Roedd gan y cyntaf ddaeargi bach gwyn, a chan fy mod yn hoff iawn o ddaeargwn, sylwais ar y ci hwn. Yr hyn nad oeddwn yn ei gofio oedd fod gan y dynion labradôr du hefyd. Digwyddai Emrys fy mrawd fod yn y llys gydag achos arall o botsio a bu'n gwrando ar ein hachos ni.

Gofynnodd y twrnai i Ivor,

'There was a dog with them, wasn't there, Mr Hughes?'

Atebodd Ivor,

'I didn't see one.'

Aeth Trefor i'r bocs a chael yr un cwestiwn, ac atebodd,

'Yes, a black labrador.'

Daeth fy nhro i, a chefais innau yr un cwestiwn. Atebais,

'Yes a white terrier.'

Aeth fy wyneb yn goch pan neidiodd y twrnai arnaf. Rhywsut neu'i gilydd mi lwyddais i ddweud fy mod wedi gweld y ci gwyn pan aethom i dŷ y diffynnydd cyntaf.

Dyfarnwyd fod un yn euog a'r llall yn ddi-euog. Sut y daeth yr ynadon i'r dyfarniad yma, wn i ddim hyd heddiw.

Ar ôl yr achos hwnnw, os byddai enw unrhyw un â chi ganddo yn mynd i'r llyfr bach, yna fe âi brîd a lliw y ci iddo hefyd!

Yn ystod fy ngyrfa fel cipar, fe ddaliais fy siâr o botsiars, ond o'r cwbl i gyd, fedra' i ddim ond meddwl am un mochyn.

Daliwyd hwn yn deg, ac yntau efo gaff a lamp. Mae'n wir fod dipyn o sgyffl wedi bod, a'r potsiar wedi gorffen ar wastad ei gefn yng nghanol lle gwlyb gyda minnau'n ei ddal i'r llawr, ond ni allai esgusodi yr hyn a wnaeth wedyn.

Collais yr achos. Doedd hynny ddim yma nac acw —

doedd o ddim yr achos cyntaf i mi ei golli na'r un diwethaf chwaith. Y modd y collais yr achos sydd yn mynd o dan fy nghroen hyd heddiw.

Yn ystod yr achos, dywedodd y potsiar mai chwilio am lwynog gwyn a oedd wedi cael ei weld yn yr ardal oedd o. Doedd dim o'i le ar hynny, roedd yn ddigon teg, ond y pethau a ddywedodd wedyn a'm gwylltiodd. Bu ganddo'r wyneb i ddweud wrth yr ynadon mai fi oedd y potsiar mwyaf yn yr ardal. Dywedodd mai fi oedd wedi gosod y gaff ar lan yr afon a phan ddaeth ef at y gaff, fy mod wedi cerdded ato a'i gyhuddo o fod yn potsio. Ond yn llawer gwaeth na hyn, dywedodd fy mod yn feddw gaib — a minnau byth yn yfed y ddiod feddwol!

Dywedodd gymaint o gelwyddau amdanaf fel y bu imi fynd i weld Robert Price y twrnai o Gricieth i edrych a fedrwn gael achos yn ei erbyn. Dywedodd Robert Price y byddai modd ei gael i'r llys pe bai'r celwyddau yma'n cael eu hailadrodd yn y papurau. Yn ffodus iawn iddo fo, ni fu manylion yr achos yn y papurau, dim ond rhyw bwt i ddweud ei fod wedi ei gael yn ddi-euog.

Sut allai dyn roi ei law ar Feibl a datgan bod y dystiolaeth yr oedd am ei rhoi yn wir ac yn ddim ond y gwir, ac wedyn dweud y ffasiwn gelwyddau, wn i ddim.

Mae dyn yn aml yn rhoi ei air i rywun. Faint o goel fedr ei rhoi ar air dyn fel hwn?

Llyn Dubach y Bont

Mae Llyn Dubach y Bont tua chwarter milltir oddi wrth Pont yr Afon Gam i fyny ar gwr y Migneint ar ochr y ffordd am Ysbyty Ifan a Phenmachno. O gofio ei fod mor uchel, mae'n llyn arbennig iawn. Ceir ynddo ddigon o fwyd i bysgod ac yn ystod yr haf bydd chwyn yn gorchuddio'r rhan fwyaf o'i wyneb. Gan ei fod yn llyn mor hawdd i fynd ato (gallwch barcio eich car ar ei lan) ceir yno lawer o sgotwyr ac fe fu'r llyfr bach allan yn aml iawn gyda'r ymwelwyr.

Clwb Pysgota'r Cambrian sydd â hawl sgota ar y llyn ac er bod llawer yn sgota yma, prif bwrpas y llyn gan y Cambrian yw ei ddefnyddio fel llyn magu.

Bob blwyddyn, tua diwedd Mawrth neu ddechrau Ebrill, bydd y clwb yn rhoi miloedd o bysgod bach fel matsys yn y llyn a rhaid iddynt roi cyfrif go lew oherwydd mae'r colledion yn enfawr ymhlith y rhain. Ar wahân i bysgod eraill, y mae gwahanol bryfetach yn eu bwyta hefyd, a'r gwaethaf o'r rhain yw larfa Gwas y Neidr sy'n byw yn y dŵr am dair blynedd cyn dod i'r wyneb yn bry hardd. Clywais Herbert Evans yn ei ddisgrifio fel *underwater hawk*.

Eithriad oedd cael sgodyn mawr yn Llyn Dubach y Bont. Rhyw bysgod i fyny at tua deng modfedd oedd yno a'r rheiny yn bysgod mewn cyflwr da iawn, yn dew fel moch. Daliodd Jim Penffridd Llan sgodyn tua thri phwys yno ac mi ddaliodd Eric Twm (Eric Thomas) o'r Blaenau un tua dau bwys, ond fel y dywedais, eithriad oedd cael un fel hyn. Pysgod ifanc oedd yno, oherwydd bob blwyddyn, tua diwedd Ebrill i ddechrau Mai, byddai'r llyn yn cael ei rwydo gan Gymdeithas y Cambrian er mwyn cael pysgod i'w rhoi mewn llynnoedd eraill. Ni, y ciperiaid, fyddai'n rhwydo'r llyn a rhai o aelodau'r clwb yn ein cynorthwyo i gario'r pysgod oddi yno. Gwelais gael pedwar cant o bysgod, a thro arall dim ond pymtheg a gorfod mynd yn ôl i ailrwydo rhyw ddiwrnod arall. Gwelais fynd yno hefyd a methu rhwydo am fod y tywydd yn rhy wyntog ac yn codi'r cwch rwber yr oeddem yn ei ddefnyddio oddi ar y dŵr. Unwaith aethom yno ond methwyd â rhwydo gan fod y llyn wedi rhewi drosto.

Cofiaf fod yno un diwrnod, pedwar ohonom yn giperiaid, sef Emrys Lloyd Price a John Williams oddi ar afon Conwy, ac Emrys fy mrawd a minnau, yng nghwmni dau neu dri o aelodau Clwb y Cambrian.

Fel arfer, ni, y pedwar cipar, oedd yn gwneud y rhwydo a'r lleill yn cynorthwyo pan oedd angen hynny. Roedd yn rhaid rhoi'r pysgod a ddaliwyd ym mhob rhwydiad mewn caets wedi ei wneud o rwyd fân a'u cadw yn y dŵr yng ngheg y llyn tan yr oeddem wedi gorffen rhwydo ac yn barod i'w cludo oddi yno i lynnoedd eraill.

Roedd Emrys Evans o'r Manod gyda ni y diwrnod hwnnw. Nid wyf yn cofio'n iawn os oedd yn ysgrifennydd y clwb ar y pryd. Mae Emrys Evans yn fawr ei barch gan bawb ac yn ddyn sy'n byw yn agos iawn i'w le. Pan oeddem wrthi'n tynnu'r rhwyd i mewn, roedd Emrys fy mrawd a minnau ar ein gliniau yn tynnu'r ddau dant isaf i mewn. Gofynnodd fy mrawd,

'Pwy ydi hwnna? Kojac?'

Dywedais wrtho gau ei geg rhag ofn i Emrys Evans ei glywed. Fynnwn i ddim iddo glywed fy mrawd yn ei sbeitio.

Ar ôl rhoi un siot, a chael dipyn o bysgod a'u rhoi yn y bin oedd yn cael ei ddefnyddio i gario'r pysgod at geg y llyn, gwelais mai dim ond Emrys Evans oedd yno i'w gario, felly gafaelais yn un glust y bin a'i gynorthwyo i'w gario at geg y llyn ac i'r caets. Pan oeddem tua hanner ffordd, dyma Emrys Evans yn gofyn imi'n reit sobor,

'Wyddost ti y boi 'na sy'n rhwyfo'r cwch, Emrys ydi'i enw fo, ia?'

'Ia,' atebais.

'Wyddost ti be wnaeth o fy ngalw i? Kojac. Do myn diawl!'

Wel, wyddwn i ddim beth i'w wneud. Roeddwn i mor filain, ond a dweud y gwir, eisiau chwerthin hefyd. Ond roedd yn rhaid dal, a dywedais,

'Peidiwch â gwrando arno fo, Emrys. Fel'na mae hwnna — sbeitio pawb.'

Wedi rhoi'r pysgod yn y caets, mi es nerth fy nhraed yn ôl at John ac Emrys, a oedd yn paratoi i roi siot arall o'r rhwyd. Dywedais wrth fy mrawd,

'Mae o wedi dy glywad di yn ei alw yn Kojac. Rhaid iti roi'r gorau i sbeitio pobol fel hyn wyddost ti.'

Dyma'r ddau yn dechrau chwerthin — ha ha fawr.

'Caewch 'ych cega,' meddwn, 'mi clywith chi ac mi fydd yn gwybod be sy'.'

Aeth y ddau i chwerthin mwy nag erioed, a minnau'n gwylltio ac yn dechrau eu damio. Y mwya'n y byd yr oeddwn yn cega arnynt, mwya'n y byd yr oedd y ddau yn chwerthin. Roedd Emrys Evans yn siŵr o fod yn clywed, ac mae'n siŵr ei fod yntau yn ei ddyblau hefyd gan fod Emrys fy mrawd, heb yn wybod i mi, wedi dweud wrtho,

'Pan gewch gyfle, dywedwch wrth Edgar fy mod wedi eich galw yn Kojac,' ac wrth gwrs, yr oeddwn wedi llyncu'r cwbl.

Daliaf i gofio'r ffordd y dywedodd Emrys Evans y stori wrthyf. Rwyf wedi cael llawr sgwrs efo Emrys cyn ac ar ôl y diwrnod hwnnw, ond dyna'r tro cyntaf a'r tro diwethaf imi ei glywed yn defnyddio'r gair 'diawl'. Does ryfedd fy mod wedi ei goelio!

Morlo afon Glaslyn

Cofiaf gyrraedd Pen y Cob wrth y porth tollau ar doriad dydd y cyntaf o Ebrill, 1986. Roedd tri neu bedwar o sgotwyr yno heb ddal dim ac yn cwyno bod yna forlo yn drysu'r pysgod. Chymerais i ddim sylw o'r hyn yr oeddynt yn ei ddweud, doeddynt ddim yn mynd i'm gwneud i yn Ffŵl Ebrill. Arwyddais eu trwyddedau ac i ffwrdd â mi i fyny at bont lein y Cambrian.

Dechreuais sgwrsio â dau sgotwr yn y fan honno ac yna cododd morlo ei ben yng nghanol yr afon o'm blaen. Fedrwn i ddim credu fy llygaid. Roedd hogiau Pen Cob yn iawn, nid Ffŵl Ebrill oedd hi. Mae'n rhaid ei fod wedi dod trwy'r Dorau, a oedd dros filltir i lawr yr afon, ac wedi cael ei gau i mewn pan gododd y llanw. Rwy'n siŵr y gallai fod wedi mynd yn ôl i'r môr, ond roedd wedi cartrefu yn yr afon ac mi fu'n crwydro'r afon o'r Dorau ym Mhorthmadog i fyny at Bont Croesor, tua phedair milltir i fyny'r afon, am rai misoedd.

Roedd y sgotwyr yn gandryll gan na ddaliai neb yr un sgodyn pan oedd y morlo yn yr un darn o'r afon â nhw. Weithiau, mi godai yng nghanol yr afon o flaen rhyw sgotwr, a sgodyn braf yn ei geg. Wrth gwrs, gwylltiai'r sgotwyr yn waeth fyth pan welent hyn yn digwydd!

Bu cwyno mawr amdano, gyda sawl un yn bygwth ei saethu a rhai eraill eisiau ei rwydo a mynd â fo yn ôl i'r môr mawr. Cwynodd rhai wrth y Bwrdd Dŵr, a gyrrwyd Emrys fy mrawd yno efo cwch a pheiriant i geisio ei ddychryn yn ôl i'r môr. Ofer fu'r cwbl, gan fod y morlo bach yn hoffi ei le, gyda phedair milltir o afon iddo fo ei hun i sgota ynddi, a digon o fwyd ar gael heb lawer o drafferth. Daethai'n ddof iawn hefyd, ac nid oedd yn cynhyrfu rhyw lawer os oedd yna bobl ar y dorlan, ac roedd llawer nad oeddent yn sgotwyr yn dod yno i'w weld ac yn gwirioni'n lân.

Diwedd y gân fodd bynnag oedd cael corff y morlo bach ar lan yr afon un bore, ger ffermdy Bwlch Glas, a thwll bach crwn yn ei ben. Y sgotwyr oedd wedi cael llond bol go iawn, ac wedi ei saethu. Bu tipyn o helynt ymhlith pobl nad oeddent yn sgotwyr ar ôl canfod y corff, ond er ceisio cael gwybod pwy oedd wedi ei ladd, ni chawsant unrhyw oleuni ar y mater.

Does dim llawer ohonom yn gwybod pwy wnaeth. Rwyf wedi cadw'r gyfrinach ers deng mlynedd, a'i chadw a wnaf bellach.

Y Diwedd

Daeth fy ngyrfa i ben ar ddydd olaf 1988, a hynny'n ddigon annisgwyl.

Yn ystod y tymor derbyniodd pob cipar trwy Gymru lythyr yn nodi bod yr Awdurdod eisiau ceisiadau am ymddeoliadau cynnar. Rhyw saith deg o giperiaid oedd trwy Gymru ar y pryd, a chredaf fod pedwar ar ddeg o geisiadau wedi mynd i mewn, gan gynnwys fy nghais i. Teimlwn fy mod wedi mynd yn rhy hen i redeg ar ôl llanciau ugain oed, a ph'run bynnag, roedd gennyf anifeiliaid i ofalu amdanynt.

Pedair erw o dir oedd gennyf ar y pryd, yn cynnal un ar bymtheg o ddefaid, tair gafr ac ymhell dros gant o wahanol fathau o ieir. Byddwn yn gweithio oriau hir iawn yn aml, a chan fod eisiau godro'r geifr ddwywaith y dydd, bwydo'r ieir a thrin y defaid, mi fyddwn wedi blino'n lân ar brydiau.

Cynigiai'r awdurdod arian da i'r rhai oedd yn dymuno ymddeol yn gynnar, ac roedd yna bensiwn i'w gael hefyd. O'r pedwar ar ddeg a roddodd gais i mewn am ymddeoliad, pump yn unig a gâi fynd, ond nid oeddwn i yn un o'r pump.

Am ddeg o'r gloch y bore ar Ragfyr y 15fed, 1988, derbyniais alwad ffôn gan Mike Harcup, y prif ddyn erbyn hyn yn adran y pysgodfeydd ym Mangor. Y neges a gefais oedd fod un o'r pump wedi tynnu ei enw'n ôl, ac y cawn i ymddeol yn ei le. Cefais ganiatâd i orffen ar ddydd olaf y flwyddyn ond byddwn yn derbyn cyflog tan ddydd olaf y flwyddyn ariannol, sef diwrnod olaf mis Mawrth, 1989.

Wel dyma newydd da, ac euthum yn syth at Emrys fy mrawd yn Llanystumdwy i ddweud wrtho. Pythefnos i fynd, a chan fod gennyf lawer o wyliau i'w cymryd, bu imi roi'r gorau iddi y diwrnod hwnnw, fwy neu lai.

Ar wahân i wneud rhyw fân bethau o gwmpas y lle yma, yn ystod y gaeaf cyntaf bûm yn bugeilio i Morris Jones Roberts, Gwernddwyryd, neu Moi Tai'r Felin fel y byddai llawer yn ei adnabod. Bu Morris yn gymydog ac yn ffrind da iawn i mi. Yn wir, petai'n bosibl dewis cymydog, faswn i byth wedi cael gwell, a bu'n golled fawr imi pan fu farw Morris.

Wedi iddo farw, bûm yn ddigon lwcus i gael peth o'i dir ar rent gan Stad y Wern, ac ar hyn o bryd mae gennyf wyth erw ar hugain o dir. Cadw defaid wnaf yn bennaf, er bod y geifr a'r ieir yma hefyd. Byddaf hefyd yn magu ŵyn llywaeth ar lefrith y geifr.

Mae yma fwy na digon i'm cadw i fynd. Rhedyn i'w dorri, mieri i'w barbio a ffosydd i'w hagor. Rhaid bwydo'r defaid o fis Ionawr tan ganol Ebrill a bugeilio'n fanwl yn y gwanwyn. Eleni, am y tro cyntaf, rwyf wedi cario dipyn o wair oddi ar y lle. Ond caf ambell i ddiwrnod digon caled, ac rwy'n ddiolchgar iawn am gymorth Dafydd Pennant, Bron Gadair. Un da yw Dafydd, bob amser yn barod ei gymwynas, a'i ast, Lassie, yn help garw gyda'r defaid. Byddai'n anodd iawn parhau ymlaen heb gymorth y ddau.

Erbyn heddiw, mae'r olwyn fawr wedi troi cylch cyflawn — o was fferm i fod yn gipar ac o gipar yn ffermwr bach yn ôl.

Pan ddaw hi i ddiwedd blwyddyn, a'r tywydd yn oer a gwlyb, caf eistedd yn y tŷ o flaen tân clyd a meddwl, 'Ys gwn i ble mae'r hogiau heno,' yn lle bod allan ar ôl potsiars yn lampio. Eistedd yn gynnes braf a chofio. Cofio am un mis Ionawr pan es at ddau yn lampio'r afon. Dihangodd un drwy'r afon gan adael ei lamp ar ôl, ond cefais afael yng ngwar y llall a chael y ddau ohonom ar ein hyd yn yr afon. Er fy mod yn wlyb o'm pen i'm traed, euthum adref yn ddyn hapus, gydag enw potsiar yn y llyfr bach, dwy lamp a thryfer, a sach yn cynnwys pedwar eog yn pwyso 42 pwys ar fy nghefn, ac eisiau cerdded dros filltir yn ôl at y fan!

Cofio am yr amser pan es ar fy mhen fy hun, am hanner awr wedi tri un bore niwlog, at giang oedd yn rhwydo Llyn Glan y Môr ar afon Llyfni. Dal un ohonynt efo rhwyd yn ei law, a'r lleill yn fy mhledu efo cerrig o'r ochr draw i'r afon.

Cofio dyn yn ceisio dianc yn ei gar, a minnau'n gafael yn dynn yn ei ffenest agored a'm traed ar y bonet hyd nes iddo arafu a stopio'r car.

Dew, doedd rhywun yn gwneud pethau gwirion 'dwch? Ac i be? I rwystro rhywun rhag dal sgodyn!

Mae'n, dechrau oeri, rhaid imi roi proc i'r tân 'ma.